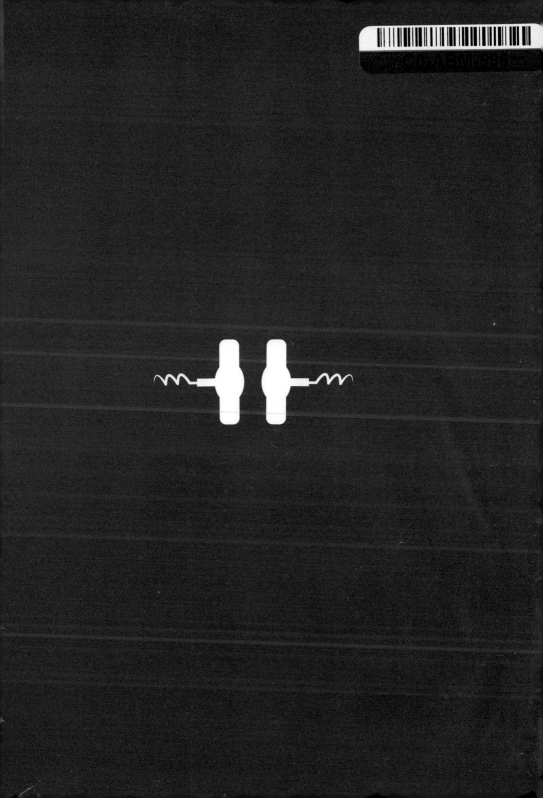

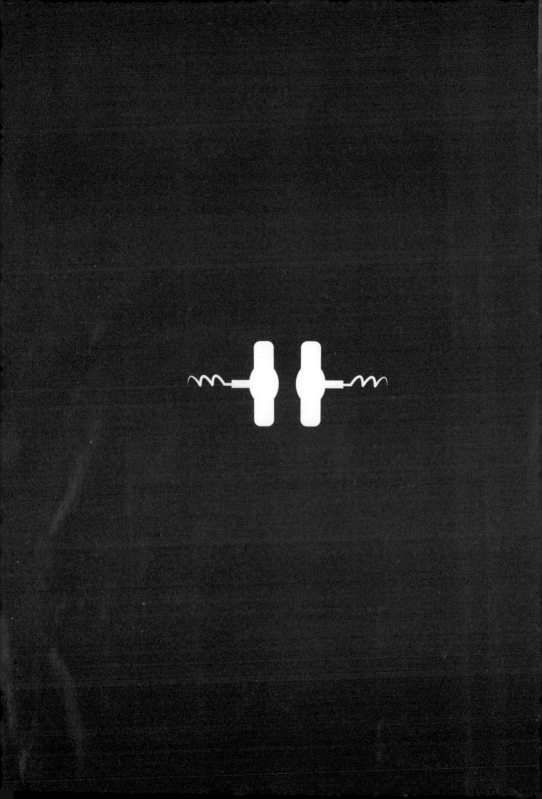

LA GUÍA DEL
VINO 2018
ARGENTINO

Graziani, Aldo
    La guía del vino argentino 2018 / Aldo Graziani ; Valeria Mortara. -
1a ed. - Ciudad Autónoma de Buenos Aires : Planeta, 2017.
    216 p. ; 21 x 16 cm.

    ISBN 978-950-49-6126-0

    1. Enología. 2. Guías. I. Mortara, Valeria. II. Título.
    CDD 641.22

© 2017, Grupo Editorial Planeta S.A.I.C.
Publicado bajo el sello Planeta®
Av. Independencia 1682, C1100ABQ, C.A.B.A.
www.editorialplaneta.com.ar

Diseño de cubierta e interior: Juan Marcos Ventura
Fotografía: Eugenio Mazzinghi
Retoque: Álvaro Caldelas
Corrección: Laura Vilariño

1ª edición: diciembre de 2017
2.000 ejemplares

ISBN 978-950-49-6126-0

Impreso en Talleres Trama,
Pasaje Garro 3160, Ciudad Autónoma de Buenos Aires,
en el mes de octubre de 2017

Hecho el depósito que prevé la ley 11.723
Impreso en la Argentina

ALDO GRAZIANI / VALERIA MORTARA

LA GUÍA DEL

VINO 2018

ARGENTINO

Planeta

A todos los que desde su lugar contribuyen
al crecimiento del vino argentino

Índice

Prólogo

Aldo Graziani

Novecientas etiquetas. Veinticinco sesiones de degustación a ciegas, todas a la misma hora, con los vinos en excelentes condiciones de temperatura y las copas adecuadas. Esa fue, desde el vamos, nuestra premisa para Guía del Vino Argentino 2018.

La primera sensación que tenemos, tal como el año pasado, es la de sentirnos afortunados por poder sacar una "foto" anual de muchos de los vinos más importantes de Argentina. Un mes en el que las degustaciones para GVA son lo más importante en nuestra agenda laboral, un trabajo que hacemos felices y con mucho entusiasmo.

Volvimos a dividir los vinos por regiones y "denominaciones", creemos que es la mejor manera de mostrar hacia dónde está yendo el vino argentino y que, de a poco, el consumidor amante de los buenos vinos vaya entendiendo las diferencias y la identidad de cada lugar. Seguramente, en un futuro no muy lejano, las cartas de los restaurantes van a estar divididas por regiones y la gente va a pedir un Gualtallary, un Altamira, o un Las Compuertas con la misma naturalidad con que hoy pide Malbec o Cabernet Sauvignon.

Lo dijimos en la primera edición y lo reafirmamos ahora, Argentina tiene una diversidad de climas, geografías y suelos que, sumada a la mano del hombre (que es en definitiva quien interpreta a "la región") da como resultado vinos distintos, con la personalidad única de lugares únicos; eso es lo que esta guía quiere mostrar y comunicar.

Así como hay diversidad de terroirs, encontramos diversidad de estilos de elaboración, muchas y muy buenas sorpresas de vinos que no conocíamos o proyectos pequeños y jóvenes que están haciendo vinos riquísimos que no dejan de aparecer (al cierre del libro nos quedaron algunos afuera porque ya habíamos terminado las degustaciones). A esto, hay que sumar la solidez de bodegas medianas y grandes, que siguen en la búsqueda constante de la excelencia en la calidad y de hacer vinos honestos, que hablen del lugar y no estén maquillados por el uso excesivo de la madera o la sobreextracción y la súper concentración que supo dominar la moda de los vinos hasta no hace muchos años.

En la actualidad, el camino es mostrar productos ágiles, dóciles, frescos y definidos para acompañar diferentes comidas, que es, en definitiva, el momento en que se bebe vino en el 90 % de los casos.

Decidimos también agregar una sección nueva y probar una serie de vinos que no se incluyen frecuentemente en este tipo de guías. Son los denominados "vinos de todos los días", que representan una porción muy alta del mercado. Hablamos de esos vinos que se toman en casa a diario, más simples y mucho más amigables en precio. Fue un hermoso desafío y encontramos muchas joyitas que esperamos que los lectores puedan disfrutar.

Guía del Vino Argentino 2018 es nuestro granito de arena a la hora de elegir una etiqueta en la góndola o en la carta de un restaurante. Esperemos que sirva, nosotros disfrutamos mucho el trabajo. Lo hicimos con honestidad y alegría.

EL WINEMAKER DEL AÑO
ALEJANDRO VIGIL

Desde hace ya unos años, Alejandro es el faro de la enología argentina. El hombre al que todos están observando, colegas, clientes, periodistas, amantes del vino y consumidores. Todos esperamos sus novedades en Catena Zapata, ver en qué anda, probar sus vinos y, si tenemos suerte y estamos en el lugar y momento indicados, escucharlo y aprender de alguien que es un buscador constante, un buscador de la pureza, de la interpretación de terroirs, de la experimentación, de los vinos francos y honestos. Y, hay que decirlo, siempre va a buscar (y muchas veces lo logra) hacer el gran vino argentino, ése que pueda jugar en las grandes ligas del mundo sin ruborizarse, porque tiene con qué. Lo confirman sus 100 puntos y sus tres vinos por encima de 99 puntos en GVA 2018. Agradecemos tener un Alejandro Vigil en el equipo de los grandes vinos argentinos.

ENÓLOGO JOVEN DEL AÑO
MATÍAS RICCITELLI

Porque ya dejó de ser una promesa y la consistencia de sus vinos año
tras año es asombrosa. Logró altos puntajes con Riccitelli & Father y
República del Malbec, pero también con sus dos vinos patagónicos,
rescatando cepas hasta ahora no muy prestigiosas, como el Merlot,
y subiendo la vara a los ya muy ricos exponentes de Semillón que
están circulando.

PEQUEÑO PRODUCTOR DEL AÑO
FINCA SUAREZ

Pocos proyectos tan consistentes en tan poco tiempo, todos los vinos
de Finca Suarez están riquísimos, tienen personalidad y podés sentir
que estás tomando Altamira.

BODEGA DEL AÑO
CATENA ZAPATA

Qué decir que no se haya dicho de Catena Zapata. La consistencia en todas sus líneas es una fija. Es esa bodega que, agarres el vino del precio que sea, no te vas a equivocar. Y el trabajo que viene haciendo desde hace años en investigación dio sus frutos con creces. Por ejemplo, todo lo que sale del viñedo Adrianna, en Gualtallary, es de 96 puntos para arriba. Vino 100 puntos GVA y Enólogo del Año, va de suyo que es la Bodega del Año; y si vamos para atrás, seguramente de la década.

PREMIO A LA CONSISTENCIA
EL ESTECO

Otra bodega que mostró que pisa fuerte en todas sus líneas, desde Don David hasta Chañar Punco. Todos sus vinos están ricos, tienen balance, concentración y terroir, pero a la vez son bebibles y dóciles, rompiendo el molde de los vinos de Cafayate, que durante mucho tiempo fuerons duros, sobremaduros, tánicos y alcohólicos. Hoy El Esteco (y muchos otros productores del Valle también) muestra una personalidad de vinos frescos, elegantes y bebibles en todas las franjas. Pensamos que es justo que se lleve una mención del año.

PREMIOS

LOS 100 PUNTOS - LA GLORIA
Adrianna Vineyard Fortuna Terrae
Vino de Parcela Malbec 2013. Catena Zapata.
Mendoza. Valle de Uco. Gualtallary

ALTAMIRA DEL AÑO

TINTO
98 $$$$$
**Mendel Finca Remota
Malbec 2014. Mendel Wines**

BLANCO
92,5 $$
**Finca Suarez
Chardonnay**

GUALTALLARY DEL AÑO

TINTO
98 $$$$$
**@Micheliniwine
Malbec 2014**

BLANCO
94 $$$$
**Guarda Colección de Viñedos
Chardonnay 2015. Lagarde**

CHACAYES DEL AÑO

TINTO
96,5 $$$$
Cadus Finca Viña Vida Malbec
2014. Cadus Wines

BLANCO
95 $$$
Geisha de Jade 2016.
Ver Sacrum

LA CONSULTA DEL AÑO

TINTO
97 $$$$$
Teho Grand Cru Les Paquerettes
Malbec 2014. Teho

BLANCO
92,5 $$
Mendel Semillón 2016.
Mendel Wines

AGRELO DEL AÑO

TINTO
97,5 $$$$$

Gran Enemigo Agrelo Single Vineyard Cabernet Franc 2013. Aleanna

BLANCO
94 $$$$$

Mártir Chardonnay 2016. Lorenzo de Agrelo

VISTALBA DEL AÑO

TINTO
94 $$$$

Gran Malbec de Angeles Viña 1924 Malbec 2013. Malbec de Angeles

LAS COMPUERTAS DEL AÑO

TINTO
95 $$$$$
Cheval des Andes 2013.
Cheval Blanc & Terrazas de los Andes

BLANCO
91 $$
Riesling 2016.
Luigi Bosca

VALLES CALCHAQUÍES DEL AÑO

TINTO
95 $$$$
Laborum Altos Los Cardones Malbec
2016. El Porvenir de Cafayate

BLANCO
92 $$$
El Esteco Old Vines 1945
Torrontés 2016. El Esteco

PATAGONIA DEL AÑO

TINTO
97,5 $$$$
J. Alberto Malbec 2016.
Noemia

BLANCO
94 $$$$
Old Vines From Patagonia
Semillón 2016. Matías Riccitelli

MENDOZA DEL AÑO

TINTO
94,5 $$$$
Crua Chan San José Malbec 2016.
Gen del Alma

BLANCO
94 $$$$
Trapiche Gran Medalla
Chardonnay 2015

VALLE DE UCO DEL AÑO

TINTO	BLANCO
96 $$$	**94 $$$$$**
Polígonos del Valle de Uco	**Salentein Single Vineyard Finca**
San Pablo Cabernet Franc 2016.	**San Pablo Sauvignon Blanc 2015.**
Zuccardi	**Salentein**

20

LOS 20 VINOS DEL AÑO

Los 20 vinos del año fueron seleccionados por diferentes razones, pero sin seguir un orden de puntuación, si bien todos sacaron buenos puntajes. Creemos que son vinos que se destacan entre los demás y queremos resaltarlos en un listado especial.

Ayni Malbec 2015.
Chakana Andean Wines.
Mendoza. Valle de Uco.
Altamira

Blanco de la Casa 2016.
Matías Riccitelli. Mendoza.
Valle de Uco

Catalpa Assemblage 2014.
Atamisque. Mendoza.
Valle de Uco, Tupungato

Chañar Punco Blend 2013.
El Esteco. Catamarca, Valles Calchaquíes.

Chacra 55 Pinot Noir 2016. Chacra.
Río Negro. Mainqué

Ciruelo Cabernet Franc 2015.
Finca Las Glicinas.
Valle de Uco. Altamira

Emma Zuccardi Bonarda 2015.
Zuccardi Valle de Uco. Mendoza

Entrevero Grey Moustache Malbec 2013.
Entrevero Wines & Vineyards. Mendoza

Finca Suarez Malbec 2015. Finca Suarez.
Mendoza. Valle de Uco.
Altamira

Función Cabernet Sauvignon Palco 2015.
El Equilibrista Wines. Mendoza.
Valle de Uco

L'Esprit de Chacayes 2016. I.G. Chacayes.
Piedra Negra. Mendoza.
Valle de Uco. Tunuyán

Lorenzo Parcela Norte Malbec 2014.
Lorenzo de Agrelo. Mendoza.
Luján de Cuyo. Agrelo

Los Chocos Vertebrado Cabernet Franc 2015.
Viña Los Chocos. Mendoza.
Valle de Uco

Pintom Gabriel Dvoskin Pinot Noir 2016.
Pintom. Mendoza.
Valle de Uco

Primeras Viñas Malbec 2015.
Lagarde. Mendoza.
Valle de Uco. Gualtallary

Riglos Gran Cabernet Franc 2015. Riglos.
Mendoza. Valle de Uco. Gualtallary

Sophenia Antisynthesis Field Blend 2015.
Finca Sophenia. Mendoza. Valle de Uco

Susana Balbo Signature Malbec 2014.
Susana Balbo Wines. Mendoza.
Valle de Uco. Altamira

TintoNegro Vineyard 1955 Malbec 2014.
Tinto Negro. Mendoza. Valle de Uco.
La Consulta

Zorzal Eggo Bonaparte Bonarda 2016.
Zorzal Wines. Mendoza

LAS GANGAS

Las Gangas son esos vinos que, cuando los probamos, nos dan más de lo que cuestan, vinos que tranquilamente podrían costar mucho más caros pero que, por diferentes razones, están en una franja de precio muy competitiva. En Las Gangas vas a encontrar grandes vinos a precios más que amigables.

91,5 / $$ Alma 4 Pinot Chardonnay 2013

91 / $$ Altocedro Abras Malbec 2015

91 / $$ Altocedro Año Cero Malbec 2015

91 / $$ Andeluna Altitud Cabernet Sauvignon 2014

92 / $$ Anko Flor de Cardón Malbec 2015

91 / $$ Antucura Tani Single Vineyard Cabernet Franc 2015

91 / $$ Antucura Yepun Single Vineyard Malbec 2015

91 / $$ BenMarco Cabernet Sauvignon 2014

93 / $$ BenMarco Malbec 2014

91,5 / $$ Blanchard & Lurton Les Fous Corte Bordelés 2017

91 / $$ Cafayate Gran Linaje Cabernet Sauvignon 2015

92,5 / $$ Cafayate Gran Linaje Torrontés 2016

91 / $$ Chakana Estate Selection Cabernet Sauvignon 2015

91 / $$ Chakana Estate Selection Red Blend 2015

91 / $$ Chaman Aprendiz Malbec 2016

91,5 / $$ Chaman Aprendiz Cabernet Franc 2015

92,5 / $$ Chaman Red Blend 2014

91,5 / $$ Chandon Brut Nature Rosé

92 / $$ Clos de los Siete 2014

91,5 / $$ Corazón del Sol Uco Valley Malbec 2014

92,5 / $$ Cuvelier Los Andes Cabernet Sauvignon 2015

92 / $$ De Potrero Malbec 2016

91,5 / $$ Desquiciado Cabernet Franc 2016

92,5 / $$ Diamandes Malbec 2014

91 / $$ Doña Paula 1350 Blend 2014

91,5 / $$ Durigutti Malbec 2015

91 / $$ El Relator Tempranillo 2015

92,5 / $$ Finca Suarez Chardonnay 2016

92,5 / $$ Gauchezco Plata Grand Reserve Cabernet Sauvignon 2014

92 / $$ Gira Mundo Eugenio Bustos Cabernet Sauvignon 2014

92,5 / $$ Gira Mundo Vista Flores Malbec 2014

91 / $$ Hey Malbec 2016

92 / $$ Humberto Canale Old Vineyard Los Borregos Malbec 2014

93,5 / $$ JiJiJi Gualtallary Malbec Co2 Pinot Noir 2017

93 / $$ JiJiJi Villa Seca Chenin Blanc 2017

91 / $$ La Mascota Cabernet Sauvignon 2013

92 / $$ La Mascota Chardonnay 2014

91,5 / $$ La Posta Pizzela Malbec 2015

91 / $$ Laborum Single Vineyard Oak Fermented Torrontés 2016

91,5 / $$ Lagarde Semillón 2016

91 / $$ Lamadrid Single Vineyard Reserva Malbec 2014

91 / $$ Luigi Bosca Riesling Las Compuertas 2016

92,5 / $$ Manos Negras Stone Soil Malbec 2015

93 / $$ Montesco Parral Blend 2015

92,5 / $$ Montesco Punta Negra Pinot Noir 2015

91 / $$ Norton Reserva Chardonnay 2015

91,5 / $$ Octava Bassa Malbec 2014

92 / $$ Pala Corazón Blanco de Blancas 2016

92,5 / $$ Pala Corazón Gualtallary Malbec 2013

91 / $$ Refrán Blanc de Noir 2016

93 / $$ Refrán Cabernet Franc 2015

92 / $$ Reserva de Potrero Malbec 2016

92 / $$ Revancha Peón Malbec 2015

92 / $$ Saint Felicien Tributo a Carlos Alonso Cabernet Sauvignon 2015

91 / $$ Salentein Reserve Malbec 2015

91 / $$ Salentein Reserve Pinot Noir 2015

91 / $$ SinFin Gran Guarda Cabernet Franc 2015

94 / $$ Tapiz Alta Collection Malbec 2014

93,5 / $$ Traslapiedra Malbec 2014

91 / $$ Tapiz Alta Collection Sauvignon Blanc 2017

91 / $$ Taymente Cabernet Sauvignon 2015

91,5 / $$ TintoNegro Uco Valley Cabernet Franc 2016

92 / $$ UL Cabernet Franc 2016

92,5 / $$ Zorzal Gran Terroir Cabernet

VINOS POPULARES

GVA 2018 incorpora esta nueva sección. Son los vinos que representan más del 90 % del mercado en Argentina y muchas veces quedan afuera de las guías y los listados. Son las etiquetas que están en muchas mesas, de consumo diario o semanal, de consumo fácil. Vinos que no hay que pensarlos tanto, sino beberlos y disfrutarlos como son, generalmente jóvenes y vivaces. Ninguno supera los $200 y hay algunos por menos de $100 que nos sorprendieron gratamente.

✶✶✶ 1887 Red Blend 2013
Famiglia Bianchi. Mendoza. San Rafael

✶✶✶ Alba en los Andes Chardonnay 2016
Mendoza. Valle de Uco. Tupungato

✶✶✶ Alba en los Andes Finca Malbec 2015
Mendoza. Valle de Uco. Tupungato

✶✶✶ Albaflor Malbec 2015 Altos de Altamira. Mendoza.
Valle de Uco. Tunuyan.

✶✶✶✶ Altas Cumbres Extra Brut 2016
Lagarde. Mendoza. Valle de Uco.

✶✶✶✶ Alto Sur Malbec 2016 Finca Sophenia.
Mendoza. Valle de Uco. Tupungato

✶✶✶ Altos del Plata Malbec 2013
Terrazas de los Andes. Mendoza. Luján de Cuyo

✶✶✶ Andeluna 1300 Malbec 2016.
Mendoza. Valle de Uco. Gualtallary

✶✶✶ Andeluna 1300 Sauvignon Blanc 2016
Andeluna. Mendoza. Valle de Uco

✶✶✶✶ Antonio Mas Single Vineyard Cabernet Sauvignon 2015
Sumun. Mendoza. Valle de Uco. La Arboleda

✶✶✶ Antucura La Folie 2014
Mendoza. Valle de Uco. Vista Flores

★★★ Bad Brothers ToVio Blend 2016
Bad Brothers. Salta. Valles Calchaquíes

★★★★ Barrandica Selection Malbec 2016 Antucura.
Mendoza. Valle de Uco. Vista Flores

★★★★ Barrandica Selection Pinot Noir 2016
Antucura Mendoza. Valle de Uco. Vista Flores

★★★ Cafayate Vino de Altura Malbec 2016
Etchart. Salta. Cafayate

★★★ Cafayate Vino de Altura Torrontés 2016
Etchart. Salta. Cafayate

★★★ Callia Magna Malbec 2016
San Juan. Valle de Pedernal

★★★ Callia S Hoy Syrah 2016
Callia. San Juan. Valles de Tulúm

★★★ Carmela Benegas Cabernet Franc 2016
Benegas. Mendoza. Maipú. Cruz de Piedra

★★★★★ Ciclos Icono Blend 2014
El Esteco. Salta. Cafayate

★★★★ Ciclos Torrontés 2016
El Esteco. Salta. Cafayate

★★★ Barrandica Cabernet Sauvignon 2016
Antucura. Mendoza. Valle de Uco. Vista Flores

★★★★ Crios Malbec 2016 Susana Balbo Wines.
Mendoza. Valle de Uco

★★★★ Crios Red Blend 2016 Susana Balbo Wines.
Mendoza. Valle de Uco

★★★ De Una Malbec 2015
Antucura. Mendoza. Valle de Uco. Vista Flores

★★★ Diamandes Chardonnay 2015
Dimandes de Uco. Mendoza. Valle de Uco. Vista Flores

✶✶✶✶✶ Diamandina Malbec 2015
Diamandes de Uco. Mendoza.
Valle de Uco. Vista Flores

✶✶✶✶ Don Stefano Blend Italiano 2016
Familia Amorelli. Córdoba. Traslasierra

✶✶✶ Doña Paula Los Cardos Red Blend 2015.
Mendoza. Luján de Cuyo. Ugarteche

✶✶✶ Doña Silvina Torrontés 2016
Kontriras. La Rioja. Famatina

✶✶✶ Gérôme Marteau Malbec 2016
Gerome Marteau. Río Negro. Alto Valle

✶✶✶✶ Humberto Canale Intimo 2015.
Humberto Canale. Río Negro. Alto Valle

✶✶✶ Kaiken Reserva Malbec 2015
Kaiken. Mendoza. Luján de Cuyo. Agrelo

✶✶✶ Killka Cabernet Sauvignon 2015
Salentein. Mendoza. Valle de Uco. Tunuyán

✶✶✶ Killka Malbec 2015
Salentein. Mendoza. Valle de Uco. Tunuyán

✶✶✶ L' Argentin de Malartic Rosé 2016
Dimandes de Uco. Mendoza. Valle de Uco. Vista Flores

✶✶✶ La Linda Malbec 2015
Luigi Bosca. Mendoza. Luján de Cuyo

✶✶✶ La Linda Private Selection Malbec 2014
Luigi Bosca. Mendoza. Luján de Cuyo

✶✶✶ La Linda Torrontés 2016
Luigi Bosca. Salta. Cafayate

✶✶✶ La Poderosa Blend 2016
Del Fin del Mundo. Neuquén. San Patricio del Chañar

✲✲✲ La Poderosa Extra Brut
Del Fin del Mundo. Neuquén. San Patricio del Chañar

✲✲✲ La Poderosa Malbec 2016
Del Fin del Mundo. Neuquén. San Patricio del Chañar

✲✲✲ Laderas de los Andes Estate Bottled Malbec 2015
Laderas de los Andes. Mendoza. Valle de Uco. La Consulta

✲✲✲ Las Andanas Blend 2013
Casta del Sur. Mendoza. Luján de Cuyo. Vistalba

✲✲✲ Las Perdices Sauvignon Blanc 2017
Las Perdices. Mendoza. Luján de Cuyo. Agrelo

✲✲✲ Las Perdices Torrontés 2017
Las Perdices. Mendoza. Luján de Cuyo. Agrelo

✲✲✲ Latitud 33 Malbec 2016
Terrazas de los Andes. Mendoza.
Luján de Cuyo. Agrelo

✲✲✲ Malma Finca La Papay Sauvignon Blanc 2016
Neuquén. San Patricio del Chañar

✲✲✲ Ikella Merlot 2016
Melipal. Mendoza. Luján de Cuyo. Agrelo

✲✲✲✲ Moscato di Cardenale Moscatel Rosé 2017
Finca Las Payas. Mendoza. San Rafael

✲✲✲ Natal Cabernet Sauvignon 2014
Alpamanta. Mendoza. Luján de Cuyo. Ugarteche

✲✲✲✲✲ Pala Corazón Maceración CO2 Garnacha 2017
Niven Wines. Mendoza. Maipú. Cruz de Piedra.

✲✲✲ Paso a Paso Vino de Garage Blend 2017
Paso a Paso Wines. Mendoza. Valle de Uco

✲✲✲✲✲ Pokhara Chenin Blanc 2017
Simonassi. Mendoza. San Rafael

✶✶✶ Poncho & Pampa Malbec 2016.
Condeminal. Mendoza. Valle de Uco. Tupungato

✶✶✶ Portillo Nº1 Malbec 2016
Salentein. Mendoza. Valle de Uco. Tunuyán

✶✶✶ Portillo Nº2 Cabernet Sauvignon 2016
Salentein. Mendoza. Valle de Uco. Tunuyán

✶✶✶✶ Portillo Nº3 Sauvignon Blanc 2016
Salentein. Mendoza. Valle de Uco. Tunuyán

✶✶✶ Portillo Nº5 Rosé Malbec 2016
Salentein. Mendoza. Valle de Uco. Tunuyán

✶✶✶✶✶ Sabandijas 2016. Finca La Coti.
Valle de Uco. Vista Flores

✶✶✶✶✶ San Ramón Blend 2016
Familia Amorelli. Córdoba. Traslasierra

✶✶✶ Santa Julia Reserva Cabernet Sauvignon 2017
Santa Julia. Mendoza. Valle de Uco

✶✶✶ Santa Julia Reserva Malbec 2017
Santa Julia. Mendoza. Valle de Uco

✶✶✶✶ Serbal Malbec 2017. Atamisque.
Mendoza. Valle de Uco. Tupungato

✶✶✶ Serbal Pinot Noir 2017.
Atamisque. Mendoza. Valle de Uco

✶✶✶✶ Serbal Viognier 2017. Atamisque.
Mendoza. Valle de Uco. Tupungato

✶✶✶ Simonassi Bonarda 2017
Simonassi. Mendoza. San Rafael

✶✶✶ SinFin Guarda Bonarda 2014
Bodega SinFin. Mendoza. Santa Rosa

✶✶✶ SinFin Guarda Malbec 2014
Bodega SinFin. Mendoza. Luján de Cuyo. Agrelo

✶✶✶ Sposato Chardonnay 2016
Sposato Family Vineyards.
Mendoza. Luján de Cuyo. Agrelo

✶✶✶ Taymente Torrontés 2016
Huarpe. Mendoza

✶✶✶ Tintillo 2017
Santa Julia. Mendoza

✶✶✶ Trivento Reserve Chardonnay 2016.
Mendoza. Valle de Uco. Tupungato

✶✶✶ Trivento Reserve Malbec 2016.
Mendoza. Luján de Cuyo

✶✶✶✶ Trivento Single Vineyard Brut Nature
Trivento. Mendoza. Valle de Uco. Tupungato

✶✶✶ Trivento. Brisa de Abril Tardío 2014
Trivento. Mendoza. Valle de Uco. Tupungato

✶✶✶ Violinista Torrontés – Sauvignon Blanc 2016
Violinista. San Juan. Valle de Pedernal

✶✶✶✶ Vuelà Vino Orgánico I.G Los Chacayes Rosado 2017
Piedra Negra. Mendoza. Valle de Uco. Chacayes

✶✶✶ Vuelà Vista Flores Bonarda 2017
Piedra Negra. Mendoza. Valle de Uco. Chacayes

✶✶✶✶ Zorzal Terroir de Uco Pinot Noir Rosé 2017
Zorzal Wines. Mendoza. Valle de Uco. Gualtallary

Regiones
Vitivinícolas
Argentinas

1) Límite de lecho y subsuelo.
2) Límite exterior del Río de la Plata.
3) Límite lateral marítimo
Argentino - Uruguayo.

is. Malvinas (Arg.)
is. Georgias del
Sur (Arg.)
is. Sandwich
del Sur (Arg.)
ANTÁRTIDA
ARGENTINA
polo V sur

islas Malvinas (Arg.)

ARGENTINA

Gentileza Wines of Argentina

NORTE

1. Humahuaca
Altitud: 2720 - 2980m
JUJUY

2. Tilcara
Altitud: 2280 - 2790m
JUJUY

3. Tumbaya
Altitud: 1720 - 2280m
JUJUY

4. Cachi
Altitud: 2320 - 2890m
SALTA

5. Molinos
Altitud: 1980 - 2300m
SALTA

6. San Carlos
Altitud: 1530 - 1905m
SALTA

7. Cafayate
Altitud: 1550 - 2020m
SALTA

8. Colalao del Valle
Altitud: 1690 - 1850m
TUCUMÁN

9. Amaicha del Valle
Altitud: 1910 -2230m
TUCUMÁN

10. Santa María
Altitud: 1830 - 2300m
CATAMARCA

11. Belén
Altitud: 1130 - 1420m
CATAMARCA

12. Tinogasta
Altitud: 1110 - 2050m
CATAMARCA

13. Pomán
Altitud: 750 - 975m
CATAMARCA

CUYO

14. San Blas de los Sauces
Altitud: 950 - 1100m
LA RIOJA

15. La Costa Riojana
Altitud: 1275 - 1700m
LA RIOJA

16. Famatina
Altitud: 1375 - 1850m
LA RIOJA

17. Vinchina
Altitud: 1410 - 1490m
LA RIOJA

18. Castelli
Altitud: 1275 - 1315m
LA RIOJA

19. Chilecito
Altitud: 770 - 1275m
LA RIOJA

CUYO

20. Felipe Varela
Altitud: 1015 - 1165m
LA RIOJA

21. Jáchal
Altitud: 950 - 1210m
SAN JUAN

22. Iglesia
Altitud: 1550 - 2000m
SAN JUAN

23. Tulum
Altitud: 550 - 850m
SAN JUAN

24. Ullum
Altitud: 750 - 900m
SAN JUAN

25. Calingasta
Altitud: 1350 - 1730m
SAN JUAN

26. Zonda
Altitud: 750 - 850m
SAN JUAN

27. Pedernal
Altitud: 1150 - 1400m
SAN JUAN

28. Mendoza Norte
Altitud: 575 - 710m
MENDOZA: Las Heras, Lavalle

29. Oasis Central
Altitud: 615 - 1300m
MENDOZA
• **Maipú:** Coquimbito, Cruz de Piedra, Fray Luis Beltrán, General Ortega, Gutiérrez, Las Barrancas, Lunlunta, Luzuriaga, Maipú, Rodeo del Medio, Russell, San Roque
• **Luján de Cuyo:** Agrelo, Carrodilla, Chacras de Coria, El Carrizal, La Puntilla, Las Compuertas, Luján de Cuyo, Mayor Drummond, Perdriel, Ugarteche, Vistalba.

30. Mendoza Este
Altitud: 500 - 690m
MENDOZA: San Martín, Junín, Santa Rosa, Rivadavia, La Paz

31. Valle de Uco
Altitud: 860 - 1610m
MENDOZA
• **Tupungato:** Cordón del Plata, El Peral, El Zampal, El Zampalito, Gualtallary, La Arboleda, La Carrera, San José, Villa Bastías, Zapata
• **Tunuyán:** Campo de los Andes, Colonia Las Rosas, El Algarrobo, El Totoral, La Primavera, Las Pintadas, Los Árboles, Los Chacayes, Los Sauces, Villa Seca, Vista Flores
• **San Carlos:** Chilecito, El Cepillo, Eugenio Bustos, La Consulta, Paraje Altamira, Pareditas, Tres Esquinas, Villa San Carlos.

32. Mendoza Sur
Altitud: 430 - 885m
MENDOZA: San Rafael, General Alvear

PATAGONIA

33. Alto Valle del Río Colorado
Altitud: 305 - 370m
LA PAMPA

34. San Patricio del Chañar
Altitud: 320 - 415m
NEUQUÉN

35. Valle inferior del Río Limay
Altitud: 270 - 310m
NEUQUÉN

36. Alto Valle del Río Colorado
Altitud: 305 - 370m
RÍO NEGRO

37. Alto Valle del Río Negro
Altitud: 180 - 265m
RÍO NEGRO

38. Valle medio del Río Negro
Altitud: 120 - 160m
RÍO NEGRO

39. Valle inferior del Río Colorado
Altitud: 70 - 100m
RÍO NEGRO

40. Valle inferior del Río Negro
Altitud: 4 - 16m
RÍO NEGRO

41. Comarca Andina Paralelo 42
Altitud: 200 - 270m
CHUBUT

42. Piedra Parada
Altitud: 390 - 410m
CHUBUT

43. Paso del Sapo
Altitud: 395 - 400m
CHUBUT

44. Valle 16 de Octubre
Altitud: 345 - 375m
CHUBUT

45. Valle Río Pico
Altitud: 590 - 670m
CHUBUT

46. Los Altares
Altitud: 245 - 260m
CHUBUT

47. Sarmiento
Altitud: 265 - 300m
CHUBUT

48. Valle inferior del Río Chubut
Altitud: 10 - 50m
CHUBUT

ATLÁNTICA

49. Médanos
Altitud: 30 - 34 m
BUENOS AIRES

50. Sierras de Ventania
Altitud: 210 - 500m
BUENOS AIRES

51. Sierras de Tandilia
Altitud: 25 - 120m
BUENOS AIRES

RANGO DE PRECIOS

$ - Hasta $199

$$ - $200 a $349

$$$ - $350 a $499

$$$$ - $500 a $999

$$$$$ - $1.000 en adelante

LOS 20 VINOS DEL AÑO

LAS GANGAS

VM: VALERIA MORTARA
AG: ALDO GRAZIANI

Mendoza

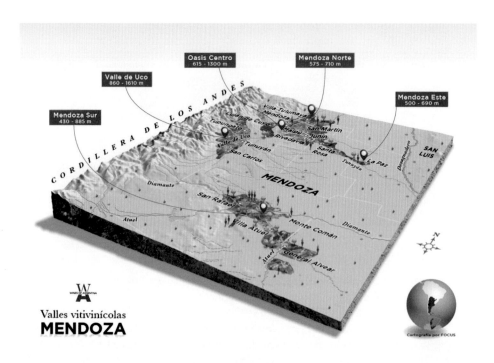

Valles vitivinícolas
MENDOZA

Gentileza Wines of Argentina

Tintos

97,5 / $$$$$
Riccitelli & Father 2014.
Matías Riccitelli. Mendoza

VM: De color violeta intenso. Concentrado, puro y floral. Tiene tensión, agarre, sabor sostenido y elegancia. Un maravilloso presente y un gran potencial. Sabroso y complejo. Largo. 80% Malbec de 1927 de Las Compuertas y 20% Cabernet Franc de Vista Flores.

AG: Matías Riccitelli en aventura con su padre. Impresionante vino, se va mostrando de a poco, huele a hierbas frescas, menta, tabaco, especias y frutos negros. Tiene mucho volumen en boca, es complejo y con tensión, final firme y con buena acidez. Mejor decantar. Con el chivito de Aldo's.

95,5 / $$$$$
Quimera 2013. Achaval-Ferrer. Mendoza

VM: Fruta negra con notas herbáceas, eucalipto, tabaco y violetas. De textura calcárea, es vibrante, de acidez fresca, complejo y elegante. ¡Delicioso!

AG: Achaval-Ferrer no afloja, el mítico Quimera es un mix de especias frescas en nariz, rico, vibrante y con textura de tiza, fruta roja fresca y largo final electrizante. Con la Bondiola de Perón Perón.

95,5 / $$$$$
Catena Zapata Malbec Argentino 2013. Catena Zapata.
Mendoza. Gualtallary y La Consulta

VM: De nariz penetrante y compleja, Es carnoso, refinado, con taninos firmes. Su frescura resalta sabores. Búsqueda y encuentro del equilibrio y la elegancia. Blend de Malbec de Gualtallary cofermentado con Viognier y Malbec de La Consulta cofermentado con Cabernet Franc. Interesante potencial de guarda.

AG: Gran expresión de Malbec de Luján de Cuyo, bien armado, compacto y preciso en su mensaje. Frutos negros y especias frescas, es concentrado y con taninos tersos, tabaco y gran balance. De guarda y de colección. Con embutidos en La Salumería.

95 / $$$$$
Gran Enemigo 2013. Bodega Aleanna. Mendoza

VM: Elegante y complejo. Cassis, moras y ciruelas, flores, mix de pimientas, hierbas, tabaco y eucalipto. De acidez muy fresca y final mineral.

AG: Gran combinación de variedades, con su costado herbal y vegetal jugando con la frescura y jugosidad del Malbec, buena tensión y fresco final. Un vino con mucha personalidad.

95 / $$$$$
Apartado Gran Blend 2013. Rutini Wines. Mendoza

VM: Frutas negras maduras, pimienta, lavanda, menta, nuez moscada y madera elegante y en armonía. Es complejo y corpulento, de acidez fresca y estructura firme con gran potencial de guarda.

AG: Buena estructura, licoroso, frutos negros, especias, flores y amplitud de boca, taninos firmes, rico y jugoso. Decantarlo, es un vino importante.

94,5 / $$$$
Crua Chan San José Malbec 2016. Gen del Alma. Mendoza

VM: Frambuesa deshidratada y ciruela fresca. Notas de tierra húmeda y especias. Refresca, tiene filo y verticalidad. Jugoso, textura calcárea y taninos precisos.

AG: La línea Crua Chan muestra diversidad de terruños con la mano de Gerardo Michelini y Andrea Mufato. El San José es fresco, con frutos negros, floral y terroso, tiene buena textura y está riquísimo para beber.

TOP 20 — 94,5 / $$$$
Emma Zuccardi Bonarda 2015. Zuccardi. Valle de Uco. Mendoza

VM: Las uvas provienen del Valle de Uco y de viñedos antiguos de Santa Rosa. Ofrece pureza y complejidad. Es muy fresco, con textura calcárea, taninos crocantes y final sabroso. Quizás, el bonarda más elegante de Argentina.

AG: Desde que salió al mercado, Emma puso a la variedad un escalón arriba. Muy buena Bonarda. Fresca acidez y muy marcado costado frutal, crujiente, buena tensión y jugoso en boca. Taninos tersos y gran balance.

94 / $$$$
Tinto de la Casa Malbec 2016. Matías Riccitelli. Mendoza

VM: Blend cofermentado de Malbec de La Consulta y Gualtallary. Un vino directo y vibrante que ofrece fruta roja dulce, popurrí de flores frescas y secas y tierra húmeda. En boca es puro, de acidez crocante y textura mineral. Redondo y persistente.

AG: Muy lindo vino, delicado, floral, de textura suave y con frescos frutos negros y mineralidad, tensión y final largo. Gran balance.

94 / $$$$
Vineyard Selection Malbec 2014. Matías Riccitelli. Mendoza.

VM: Viñedos seleccionados de Vistalba, Perdriel y El Cepillo resultan en una bomba de fruta roja acompañada de especias frescas, té negro y madera elegante. De taninos pulidos y firmes, es un vino equilibrado y fresco. Final complejo y prolongado.

AG: Matías y su cada vez más sólida interpretación de Las Compuertas. Buena estructura y lindos matices florales y de frutos negros, equilibrado y rico final, fresco y firme.

94 / $$$$
Trapiche Gran Medalla Cabernet Franc 2014. Trapiche. Mendoza

VM: Sobrio, seco, de acidez muy fresca. Se expresan las flores, las especias y la fruta negra y el tomillo. Es sedoso, vertical y con tensión. Primera añada para este Cabernet Franc. Trasvasar.

AG: Buena expresión de la variedad, herbal y floral, fresco, buena acidez y textura. Se va abriendo, final franco de frutos rojos y taninos sedosos. Bien el Gran Medalla.

93,5 / $$$
The Apple Doesn't Fall Far From the Tree Malbec 2015. Matías Riccitelli. Mendoza.

VM: De color intenso y mucha concentración de fruta. Leves notas de vainilla y pimienta. Su acidez es fresca. Boca potente, tiza y taninos firmes. Con potencial para superarse en botella. Malbec 50 % Perdriel y 50 % Gualtallary.

AG: Un Riccitelli puro, profundo, súper color, buena concentracion con frescura, taninos firmes. Un vino de trazo grueso con gran guarda por delante, hasta 2035.

93,5 / $$$$
Mendoza Cabernet Sauvignon 2014. Achaval-Ferrer. Mendoza

VM: Maduro y concentrado con perfume de regaliz, pimienta y vainilla. También expresa flores, fruta de baya madura y viruta de lápiz. Llena la boca, es voluptuoso y corpulento. De acidez fresca y taninos finos. Persistente.

AG: Cabernet de la primera zona, rico, compacto, herbal, fresco, frutos negros, especias y madera integrada, final tostado y rico, buena tipicidad y volumen en boca.

93,5 / $$$$
El Gran Equilibrista 2014. El Equilibrista. Mendoza

VM: De impacto y potencia, con notas balsámicas, popurrí de flores, cassis maduro, piel de naranja y mix de especias. Es concentrado, mineral, de taninos firmes, corpulento y persistente. Vino para guardar.

AG: Las variedades hacen "equilibrio" en este rico blend, bien armado, con estructura, frutos negros, especias y taninos con agarre.

93,5 / $$$$

Anima Mundi Malbec 2014.
Anima Mundi. Chacayes. Tunuyán.

VM: Producción súper limitada para este Malbec de especias frescas y dulces, ciruelas negras maduras, notas tostadas de café y chocolate amargo. Corpulento Malbec de Agrelo y Los Chacayes. Final persistente.

AG: Mix de especias, notas de tabaco y ciruela, bien integrado, con buena acidez y taninos vibrantes, rico y fresco final.

93,5 / $$$$$

Iscay Syrah - Viognier 2012.
Trapiche. Mendoza

VM: Perfumado. Predominan las especias, como pimienta, nuez moscada y cardamomo. Es cárnico, fresco, intenso, franco y levemente salino. Final elegante.

AG: Una marca ícono con un corte que me encanta. Tiene notas vegetales y especiadas, es sedoso y muy bebible. Final de especias frescas.

93 / $$$$

El Interminable Red Blend 2014.
Bodega SinFin. Mendoza

VM: Un vino especiado y goloso, con ciruelas maduras, hierbas y notas de roble. Integrado y persistente.

AG: Juan Ubaldini se va soltando y de a poco nos muestra su versatilidad para hacer blends y entender terruños. El Interminable huele a hojas secas, tabaco y especias, es jugoso en boca y con taninos firmes. Final de vainilla y humo.

93 / $$$$

Angélica Zapata Alta Malbec 2013.
Catena Zapata. Mendoza.

VM: De un blend de viñedos nace este vino que conserva sus aromas a ciruela madura, violetas y rosas y notas de grafito. De acidez fresca, taninos aterciopelados y textura mineral. Final persistente. Trasvasar.

AG: Un clásico de clásicos, mantiene el estilo, con taninos presentes y aún buena fruta. Crujiente, ciruela fresca, buena tensión y jugoso. Final de fresca acidez.

93 / $$$

C.A.T. Las Pintadas Malbec 2015.
Anima Mundi. Mendoza.
Valle de Uco, Las Pintadas. Tunuyán

VM: Corpulento y estructurado. Se siente joven y potente. Concentración de fruta, pimienta blanca, nuez moscada y taninos rugosos. Mejor con tiempo en botella.

AG: Se lo siente joven, es concentrado. Fruta roja y hierbas frescas, taninos firmes y textura de tiza. Agradece decanter y arriesgo buena capacidad de guarda.

93 / $$$

D.V. Catena Malbec - Grenache 2015.
Catena Zapata. Mendoza

VM: Vivaz y vibrante, con notas de lavanda, tomillo, fruta roja fresca y especias. En boca es fluido, jugoso, de taninos pulidos y acidez fresca. Final levemente salino y sabroso.

AG: Bienvenida la Garnacha a ennoviarse con el Malbec. Vivaz, crujiente, fruta fresca, especias, jugoso y terso en boca, rica acidez final. Invita a beber fácil ahora y hasta el 2025.

93 / $$$$

Trapiche Gran Medalla Malbec 2014.
Trapiche. Mendoza

VM: Profundo, intenso, de taninos robustos. Ciruela negra, pimienta blanca, lavanda y notas ahumadas. Es voluptuoso, tiene textura mineral y final persistente.

AG: Con varias cosechas encima, el Medalla Malbec es limpio, floral y preciso en su mensaje, pulido y balanceado, con buena acidez y buen volumen. Final tenso y rico.

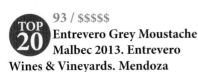

93 / $$$$$
Entrevero Grey Moustache Malbec 2013. Entrevero Wines & Vineyards. Mendoza

VM: Complejo y profundo. Madera elegante, equilibrio, estructura y mucho sabor. Todo en su lugar. Final persistente.

AG: El tope de gama de Matías Prieto no desentona. Es limpio, sedoso y pulido, pasa con elegancia por el paladar. Taninos suaves, especias y fruta fresca. Auguro gran futuro a este proyecto.

93 / $$$
El Sensacional Equilibrista Malbec 2016.
El Equilibrista Wines.

VM: Intenso y de gran presencia. En boca es concentrado, con notas de ciruela madura, rosas, grafito y especias. Es sabroso y persistente.

AG: Un vino con gran estructura, es potente y compacto, con frutos negros, madera integrada y especias, taninos firmes y buena acidez, es rico y tiene futuro. Decantado mejora.

92,5 / $$$$
D.V. Catena Cabernet - Cabernet 2013.
Catena Zapata. Mendoza

VM: Corte de Cabernet de Agrelo y Tupungato. Cada zona aporta a este blend intenso. Fruta de baya y notas de hierbas se complementan con madera integrada y en balance. Corpulento, de acidez fresca y textura mineral. Final seco y elegante.

AG: Se lo siente jugoso, fluido y con tensión. Un rico Cabernet, que con unos años encima, se mantiene vivaz.

92,5 / $$$$
Mendel Unus 2014. Mendel Wines.
Mendoza

VM: De gran intensidad aromática. Es mentolado y especiado con centro de cassis y moras maduras. Opulento, complejo, de trazo grueso, mineral y de taninos vigorosos. Persistente.

AG: Seductor desde la nariz, equilibrado y conciso, frutos negros, toque vegetal, especias y taninos firmes.

92,5 / $$$$
La Gran Revancha 2014. Roberto de la Mota. Mendoza

VM: Herbal, especiado, intenso y sabroso. Aromas de ciruelas negras, flores y pimientos. Es texturado, franco, de taninos robustos y balanceado. Persistente. Beber o guardar.

AG: Compacto, firme y profundo. Alta concentración, frutos negros, jugoso y taninos firmes; gran potencial de guarda. Agradece decantar.

92 / $$$
Milamore 2013. Renacer. Mendoza

VM: Las uvas provienen de viñedos de más de 50 años y son previamente deshidratadas al sol. Un blend de 4 variedades que ofrece una nariz profunda y picante, donde predomina la fruta. Es sabroso, súper bebible, jugoso y de acidez fresca.

AG: Buena complejidad, tinto de sed, fruta rica, acidez marcada y buena textura.

92 / $$$$
Pulenta Gran Malbec 2013.
Pulenta Estate. Mendoza

VM: Concentrado, notas de fruta negra, regaliz, tostadas y florales. Pulido, gran cuerpo y frescura media. Sedoso e integrado. Final persistente.

AG: Malbec con estilo, elegante, pulido, de textura suave, integrado y jugoso final.

92 / $$$

I Pulenta Malbec 2014.
Pulenta Estate. Mendoza

VM: Es perfumado y atractivo. Jugoso y eléctrico. De cuerpo medio, equilibrado y final sostenido. Súper bebible.

AG: Estilizado, de gran elegancia, suave, integrado y final jugoso.

92 / $$$

Zuccardi Q Tempranillo 2014.
Zuccardi. Valle de Uco. Mendoza

VM: Notas de frambuesa, cereza, tabaco rubio y especias dulces. En boca es de estructura media, acidez fresca y taninos delicados. Un clásico de esta línea que no falla.

AG: Buena concentración, redondo con taninos pulidos y compacto, tabaco y especias. Rico.

92 / $$$$

Guarda Sister's Selection Blend 2013.
Lagarde. Mendoza

VM: Expresión de fruta y especias. En boca es corpulento, de taninos firmes y frescura media. Final sabroso.

AG: Buena combinación, jugoso y con interesante aporte vegetal del Cabernet Franc. Taninos tersos y final jugoso y fresco.

92 / $$$

La Primera Revancha Malbec 2014.
Roberto de la Mota. Mendoza

VM: Vino profundo y maduro. Especiado, floral, con notas de grafito. Es expresivo, sabroso, con taninos firmes y final persistente. 93 % Malbec y 7 % Cabernet Franc.

AG: Concentrado, especias y frutos negros, floral y taninos firmes. Tiene que integrarse un poquito y se despega para bien.

91,5 / $$$

D.V. Catena Cabernet - Malbec 2015.
Catena Zapata. Mendoza

91,5 / $$$$

Gran Reserva Durigutti
Malbec 2012. Familia Durigutti.
Mendoza

 **91,5 / $$**
Durigutti Malbec 2015.
Familia Durigutti.

91,5 / $$$

Luigi Bosca De Sangre 2014.
Luigi Bosca. Mendoza

91,5 / $$$$

Matías Riccitelli. Vineyard
Selection Cabernet Franc 2014.
Mendoza

91,5 / $$$

Trapiche Medalla Malbec 2013.
Trapiche. Mendoza

 **91 / $$**
SinFin Gran Guarda
Cabernet Franc 2015.
Bodega SinFín. Mendoza

 **91 / $$**
Hey Malbec 2016.
Matías Riccitelli. Mendoza.
Luján de Cuyo. Las Compuertas

91 / $$

Pala Corazón Corte de Blancas 2016.
Niven Wines. Mendoza.

91 / $$$
Cicchitti Blend 2012.
Cicchitti. Mendoza

91 / $$$$
El Enemigo Bonarda 2014. Bodega
Aleanna. Mendoza

91 / $$$$
Pulenta Gran Corte 2013.
Pulenta Estate. Mendoza

90,5 / $$$
Tapiz Bicentenario 2011.
Tapiz. Mendoza

90,5 / $$$$
Trapiche Gran Medalla Cabernet
Sauvignon 2012. Trapiche. Mendoza

90 / $$$$
Barroco Corte de la Tierra 2013.
Barroco. Mendoza

90 / $$
SinFin Guarda de Familia 2010.
Bodega sinfín. Mendoza

90 / $$$
Monteagrelo Cabernet Franc 2015.
Bressia. Mendoza

90 / $$
Nicasia Vineyards Red Blend Cabernet
Franc 2015. Catena Zapata. Mendoza

90 / $$$
Tikal Natural Malbec - Syrah 2012.
Ernesto Catena Vineyards.
Mendoza

90 / $$
Don Nicanor Malbec 2016.
Nieto Senetiner. Mendoza

90 / $$
Pala Corazón Bonarda 2017.
Niven Wines. Mendoza

90 / $$$
2V2T 2016. Paso a Paso Wines.
Mendoza

90 / $$
Alambrado Malbec 2016.
Santa Julia. Mendoza

90 / $$
Simonassi Malbec 2017.
Simonassi. Mendoza

90 / $$$
Fond de Cave Gran Reserva Malbec
2013. Trapiche. Mendoza

90 / $$$$$
Viña Alicia Colección Familia
Nebbiolo 2011. Viña Alicia.
Mendoza

90 / $$
Carrascal Tinto 2011.
Weinert. Mendoza

89 / $$$$
Particular Bianchi Merlot 2014.
Famiglia Bianchi. Mendoza

89 / $$
Gauchezco Plata Grand Reserve 2014.
Gauchezco. Mendoza

89 / $$$$
Zolo Black Cabernet Franc 2014.
Tapiz. Mendoza

88,5 / $$
Punto Final Reserva Cabernet
Franc 2015. Renacer. Mendoza

88,5 / $$
Trapiche Reserva Malbec 2015.
Trapiche. Mendoza

88,5 / $$
Trivento Amado Sur 2015.
Trivento. Mendoza

88 / $$
Punta de Flechas 2014.
Flechas de los Andes. Mendoza

88 / $$
Punto Final Reserva Malbec 2014.
Renacer. Mendoza

88 / $$
Sposato Malbec 2016.
Sposato Family Vineyards. Mendoza

88 / $$
Fond de Cave Reserva Malbec 2015.
Trapiche. Mendoza

88 / $$$$
Viña Alicia San Alberto Morena 2010.
Viña Alicia. Mendoza

Blancos

94 / $$$$
Trapiche Gran Medalla Chardonnay 2015. Trapiche. Mendoza
VM: Fruta blanca fresca, flor de azahar, avellanas, especias. Su volumen es medio y su paso es elegante. De untuosidad delicada y final complejo.
AG: Delicado, complejo. Un vino que, de a poco, va dando mucha información. Fruta pura, mineral, especias y gran balance.

92 / $$$$
Luigi Bosca Gala 3 2014.
Luigi Bosca. Mendoza
VM: Nariz fragante, con notas de damasco, frutas secas, vainilla, miel y flores blancas. Volumino- so, de frescura media y final seco. Un blend de Viognier, Chardonnay y Riesling.
AG: Fruta blanca, textura mantecosa con buena acidez, tensión y equilibrio. El Gala 3 envejece bien, atréverse a guardar unas botellas.

92 / $$$$

Zenith Nadir 2016. Onofri Wines. Mendoza

VM: Pomelo, hierbas alimonadas, pera y notas tostadas. En boca es seco, fresco, con estructura y equilibrio. Un blend de Chardonnay, Sauvignon Blanc y Fiano.

AG: Fresco rico, y bien armado, vertical, seco y con filo, buena acidez y rico mix de fruta blancas y de carozo, final de especias. Joven aún, auguramos buen futuro.

90,5 / $$

Alma Gemela Nº 1 Pedro Ximenez 2016. Onofri Wines. Mendoza

90,5 / $$$

Trapiche Medalla Chardonnay 2015. Trapiche. Mendoza

90 / $$

Crios Torrontés 2017. Susana Balbo Wines. Valle de Uco y Cafayate

88 / $$

Padrillos Trifecta 2016. Ernesto Catena Vineyards. Mendoza

88 / $$

Famiglia Bianchi Viognier 2016. Famiglia Bianchi. Mendoza

Espumantes, rosados y dulces

91 / $$$

Lagarde Extra Brut Método Champenoise. Lagarde. Mendoza

88,5 / $$

Vicomte de Rochebouet Extra Brut Rosé Atamisque. Mendoza

88 / $$$

Punta de Flechas Corte 2014. Flechas de los Andes. Mendoza

88 / $$$

Famiglia Bianchi Brut Nature Chardonnay, Pinot Noir. Famiglia Bianchi. Mendoza

91 / $$$$

Los Stradivarius de Bianchi Porto de Magaos 2011. Famiglia Bianchi. Mendoza

90 / $$$

Los Stradivarius de Bianchi L'Elisir d'Amore Vendimia Retardata 2011. Famiglia Bianchi. Mendoza

89 / $$

Hey Rosé 2016. Matías Riccitelli. Mendoza.

88,5 / $$

Luigi Bosca Rosé is a Rosé 2016. Luigi Bosca. Mendoza

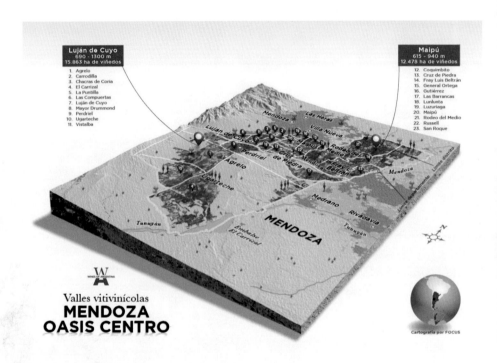

Luján de Cuyo
690 - 1300 m
15.863 ha de viñedos

1. Agrelo
2. Carrodilla
3. Chacras de Coria
4. El Carrizal
5. La Puntilla
6. Las Compuertas
7. Luján de Cuyo
8. Mayor Drummond
9. Perdriel
10. Ugarteche
11. Vistalba

Maipú
615 - 940 m
12.478 ha de viñedos

12. Coquimbito
13. Cruz de Piedra
14. Fray Luis Beltrán
15. General Ortega
16. Gutiérrez
17. Las Barrancas
18. Lunlunta
19. Luzuriaga
20. Maipú
21. Rodeo del Medio
22. Russell
23. San Roque

Valles vitivinícolas
**MENDOZA
OASIS CENTRO**

Cartografía por FOCUS

Gentileza Wines of Argentina

Luján de Cuyo

Agrelo, Perdriel y Mayor Drummond

Por Juan Roby / Enólogo de Bodega Lagarde.

Luján de Cuyo ocupa un lugar fundamental en la historia y en el presente de la vitivinicultura argentina. El área cultivada, ubicada en el pedemonte de la Cordillera de los Andes, a 33° de latitud sur y a una altitud de entre 800 y 1.100 msnm, es la más alta de la "primera zona vitivinícola", así reconocida por su excepcional aptitud para el cultivo de la vid.

El suelo es de origen aluvional, formado por un subsuelo de gravas y cantos rodados con una capa superficial de material fino compuesto por proporciones variables de arena, limo y arcilla. La materia orgánica es escasa y tiene muy poca fertilidad, lo que controla el crecimiento exagerado de las vides y permite la completa madurez de las uvas. El clima en general es templado y desértico, solamente 200-300 mm de precipitaciones anuales, con más de 300 días de sol, noches frescas y días cálidos. El río Mendoza, nacido del deshielo de la Cordillera de los Andes, es la fuente de agua para irrigar esta tradicional zona. Los vinos de Luján de Cuyo tienen gran intensidad de color, aromas frutados, buena estructura y untuosidad.

Dentro de estas generalidades de clima y suelos hay gran variedad de mesoclimas. La altitud y las variaciones en profundidad y textura de los suelos son los factores que más influyen en estos cambios de las características de los terruños. Desde suelos muy pedregosos y superficiales en las zonas elevadas, que dan vinos elegantes y frescos, hasta los más profundos y húmedos de donde se obtiene los vinos estructurados y densos.

La antigüedad de los viñedos, que muchas veces supera los 100 años, es otro puntal para que Luján mantenga el liderazgo como región productora de vinos de calidad.

Las subzonas de Luján están entre las más conocidas y renombradas de Argentina: Agrelo, Perdriel, Mayor Drummond, Las Compuertas, Vistalba, Ugarteche.

Las variedades tintas son las más cultivadas. Sin duda es la emblemática Malbec la protagonista principal, ocupando el primer lugar en superficie plantada. Las Cabernet Sauvignon, Cabernet Franc, Syrah, Merlot, Petit Verdot y Pinot Noir se destacan por sus vinos con buen color y estructura. Las variedades blancas no son muy importantes en superficie, sin embargo de la Chardonnay, Semillón y Sauvignon Blanc se obtienen vinos también destacados por su calidad y tipicidad.

Cabe aclarar que la región de Luján de Cuyo posee la primera Denominación de Origen Controlada (DOC) en Argentina y en Sudamérica, que se empezó a esbozar en la década del 80. En 1989 se crea el Consejo Denominación de Origen Luján de Cuyo, con el fin de proteger, promover y difundir las notables características del vino elaborado en este lugar. Hoy la DOC Luján de Cuyo está contemplada en una Ley Nacional vigente.

Agrelo: al pie de los Andes, es una de las microrregiones más importantes de Luján de Cuyo, con un microclima caracterizado por una gran amplitud térmica entre el día y la noche. Las uvas tintas alcanzan una excelente concentración de taninos y las variedades que mejor se adaptan son Malbec y Cabernet Sauvignon.

Hacia el oeste se extiende Alto Agrelo, zona de buena pendiente, útil para drenajes con suelos profundos, arenosos y pedregosos con muy poca arcilla. Se obtienen tintos concentrados y elegantes, y blancos con muy buena acidez, tipicidad aromática, finos y delicados.

Perdriel: es el hogar de algunos de los viñedos más antiguos de Luján, en la orilla sur del Río Mendoza. Sobre una base de piedras en el lecho del río, predominan los suelos francos con grava y limo arcilloso que drenan y permiten que las vides desarrollen sistemas de raíces profundas en busca de agua. Como resultado, las bayas son pequeñas y concentradas. Es reconocida como una de las mejores regiones para Cabernet Franc y su hermana Cabernet Sauvignon. Los vinos de Perdriel son complejos, de taninos firmes y estructurados.

Mayor Drummond: esta microrregión es reconocida por la plantación de viñedos centenarios y la producción de los mejores Malbec de Luján de Cuyo. Con suelo franco limoso y piedras redondas de profundidad. El clima en Drummond es templado con noches frescas. Las uvas llegan a una madurez completa manteniendo la frescura de la fruta, y así se obtienen vinos elegantes y con personalidad.

Tintos

96,5 / $$$$$
Gernot Langes 2012. Norton. Mendoza. Luján de Cuyo
VM: Notas mentoladas, viruta de lápiz y fruta concentrada. En boca despliega elegancia, capas de sabores, frescura media y textura aterciopelada.
AG: Sólido el top de Norton. Sostiene frescura y elegancia a pesar de ser 2012. Aroma de frutos negros, tensión, gran textura, rico, con capas y fresca acidez. Bien integrado, largo final y aún con futuro. Decantar.

95,5 / $$$$
Lote L112 Single Vineyard Malbec 2012. Norton. Mendoza. Maipú. Lunlunta
VM: De color violeta profundo y concentrado, perfil floral. En boca resaltan su acidez súper fresca, las violetas, su mineralidad, su electricidad y su tensión.
AG: Agrelo puro, gran interpretación, un vino sostenido, fresco, con mucha carga frutal, limpio y con gran expresión. Es rico, bebible y pide acompañamiento.

93,5 / $$$$
Lote LC112 Finca Colonia Single Vineyard Malbec 2012. Norton. Mendoza. Luján de Cuyo
VM: Concentrado, con notas de grafito, cedro, vainilla y fruta negra. De impacto en boca, sabor sostenido, graso, taninos firmes y final prolongado. De La Colonia Vineyard.
AG: Bien Norton, necesitábamos novedades de esta bodega y aparecieron. Contundente, penetrante y profundo, la madera está aún marcando presencia, taninos férreos y buena estructura. Fruta negra, especias y notas florales. Largo y sostenido, buena acidez. Hay vino para rato.

93 / $$$$
Primeras Viñas Malbec 2013. Lagarde. Mendoza. Luján de Cuyo
VM: De viñas de 1906 y 1930, ubicadas en Drummond y Perdriel. Ofrece pimienta negra, flores, ciruela fresca y madura. En boca es tenso, texturado, con agarre, jugosidad y frescura.
AG: Sólidos todos los Primeras Viñas de Lagarde. Predominan los frutos negros, tiene agarre, taninos férreos, es floral y penetrante, rico final de fresca acidez.

93 / $$$
40/40 Malbec 2016. Cuarenta Cuarenta. Mendoza. Lujan de Cuyo. Ugarteche
VM: Pureza, frescura y jugosidad. La riqueza de lo simple.
AG: joven, con buenas intenciones, hay pureza y rica fruta, está bien integtado, especias tabaco y hierbas buen volumen en boca y final largo.

93 / $$$
Entrevero Green Moustache 2014.
Entrevero. Mendoza.
Lunlunta
VM: Matías Prieto comanda este nuevo proyecto que crece en consistencia año a año. Un intenso blend de Cabernet Sauvignon y 45% Malbec, con gran presencia de fruta, textura, mineralidad y acidez fresca. Es un vino profundo, voluptuoso y persistente.
AG: Un vino profundo, puro y bien integrado. Rico, jugoso y con tensión final de fruta fresca y buena acidez. Con el txuleton de vaca vieja de Sagardi. Decantar.

92 / $$$$$
Henry Gran Guarda N°1 2012.
Lagarde. Mendoza.
Luján de Cuyo
VM: Nariz con matices, fruta negra y roja, tabaco, especias dulces, grafito y notas de roble. Gran personalidad. Un clásico entre los grandes.
AG: Henry ya tiene muchísimas añadas en su haber, y se sabe que son vinos que se van suavizando con el tiempo y sacando su elegancia a relucir. Este 2012 aún está un poco agarrado y con una estructura firme. Guardarlo y esperarlo a partir de 2020 hasta mucho tiempo después.

 92 / $$
Saint Felicien Tributo a
Carlos Alonso. Cabernet
Sauvignon 2015. Catena Zapata.
Mendoza. Lunlunta
VM: En homenaje al dibujante y pintor mendocino Carlos Alonso, nace este Cabernet compacto y balanceado. Rico, fresco, jugoso y texturado.
AG: Buen Cabernet de Lunlunta, fresco y preciso, sedoso y jugoso.

92 / $$$
40/40 Blend 2016.
Cuarenta Cuarenta. Mendoza.
Luján de Cuyo. Ugarteche
VM: Especiado y herbal, con fruta concentrada y tabaco rubio. Es compacto, de agradable frescura y cuerpo medio / alto.
AG: Bien armado, compacto, concentrado, fresco, herbal y con buen balance.

 91,5 / $$
Aprendiz Cabernet Franc 2015.
Chaman. Mendoza.
Luján de Cuyo. Ugarteche

91,5 / $$$
Alma Gemela N° 2 Cabernet
Franc 2014. Onofri Wines.
Mendoza. Maipú

91 / $$$$
Casarena DNA Cabernet Sauvignon
2012. Casarena Bodega y Viñedos.
Mendoza. Luján de Cuyo. Perdriel
y Agrelo.

91 / $$$
Doña Silvina Reserva Malbec 2010.
Krontiras. Mendoza.
Luján de Cuyo

91 / $$$
Guarda Colección de Viñedos Blend
2013. Lagarde. Mendoza.
Luján de Cuyo

 91 / $$
La Mascota Cabernet Sauvignon
2013. Mascota Vineyards.
Mendoza. Maipú. Cruz de Piedra

91 / $$$
Trapiche Medalla Blend 2013. Trapiche.
Mendoza. Maipú. Cruz de Piedra

90,5 / $$$
Benegas Estate Wine Cabernet
Franc 2015. Benegas. Mendoza. Maipú.
Cruz de Piedra

90,5 / $$
La Mascota Malbec 2014. Mascota
Vineyard. Mendoza. Maipú.
Cruz de Piedra

90,5 / $$$
Trapiche Medalla Cabernet Sauvignon
2013. Trapiche. Mendoza. Maipú

90,5 / $$
Fond de Cave Reserva Cabernet Franc
2014. Trapiche. Mendoza. Maipú.
Cruz de Piedra

90 / $$$$
Bressia Profundo 2012. Bressia.
Mendoza. Luján de Cuyo

90 / $$
Gauchezco Reserve Petit Verdot 2016.
Gauchezco. Mendoza. Maipú.
Las Barrancas

90 / $$
Lagarde Cabernet Sauvignon 2014.
Lagarde. Mendoza. Luján de Cuyo

90 / $$
Pala Corazón Luján de Cuyo Cabernet
Franc 2015. Niven Wines.
Mendoza. Luján de Cuyo

90 / $$$
Trivento Golden Reserve
Malbec 2014. Trivento. Mendoza.
Luján de Cuyo

89 / $$
Altos Las Hormigas Terroir
Luján de Cuyo Malbec 2016.
Altos Las Hormigas. Mendoza.
Luján de Cuyo

89 / $$
Estate Black Edition 2015.
Doña Paula. Mendoza.
Luján de Cuyo

88,5 / $$
Doña Silvina Malbec 2015. Krontiras.
Mendoza. Maipú

88,5 / $$
Luna Benegas Cabernet
Sauvignon 2014. Benegas. Mendoza.
Maipú. Cruz de Piedra.
Luján de Cuyo

88 / $$$$
Benegas Estate Single Vineyard Finca
La Libertad 2010. Benegas. Mendoza.
Maipú. Cruz de Piedra.

88 / $$
Lagarde Syrah 2015. Lagarde.
Mendoza. Luján de Cuyo

88 / $$
Trumpeter
Cabernet Sauvignon 2015.
Rutini Wines.
Mendoza. Maipú

Blancos

94 / $$$$
**Viña Alicia San Alberto Tiara (Riesling, Albariño, Savagnin) 2016.
Viña Alicia. Mendoza. Maipú. Lunlunta**
VM: Perfumado y complejo. Ofrece cítricos, piel de de lima, flores blancas, pimienta y hierbas. Es fresco, equilibrado, de final seco y persistente.
AG: Rico y fresco, mix aromático y de sabores, floral, especiado y con fruta blanca. Gran energía y equilibrio. Otro rico blanco con capacidad de guarda.

91 / $$
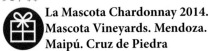
**La Mascota Chardonnay 2014.
Mascota Vineyards. Mendoza.
Maipú. Cruz de Piedra**

88,5 / $$$
**Barroco Viognier. Linea Agua 2012.
Barroco. Mendoza. Luján de Cuyo.
Ugarteche**

Dulces

93 / $$$
**Luigi Bosca Selección de Granos Nobles Gewurztraminer 2016.
Luigi Bosca. Mendoza. Maipú. El Paraíso**
VM: De color dorado y nariz perfumada. Aparecen las rosas, el lichi, almíbar de frutas blancas y la piel de cítricos. En boca se siente dulce, untuoso, con acidez fresca. Final fragante.
AG: De los blancos dulces que nunca fallan. Es equilibrado, con buena acidez, no empalaga y tiene complejidad. Aún está joven y sabemos que mejora con el tiempo.

Espumantes

88 / $$$
**La Mascota Sparkling Extra Brut Rosé. Mascota Vineyards.
Mendoza. Maipú.
Cruz de Piedra**

88 / $$
**Pala Corazón Extra
Brut 2014. Niven Wines.
Mendoza. Maipú**

Agrelo

Tintos

98 / $$$$$
Lorenzo Parcela Este Malbec 2014.
Lorenzo de Agrelo. Mendoza. Luján de Cuyo. Agrelo
VM: Cerezas negras, popurrí de flores, té negro y madera elegante y delineada. Es delicado y a la vez personal. Fresco, con un gran medio de boca, carnoso y con textura calcárea. Final elegante y prolongado.
AG: Gran integración, concentrado, rica y pura fruta, madera integrada, especias, flores y taninos tensos. De lo mejor de Agrelo. Larguísimo final, rico y con ganas de que no se acabe. Otro Agrelo peleando el top ten.

TOP 20
98 / $$$$$
Lorenzo Parcela Norte Malbec 2014.
Lorenzo de Agrelo. Mendoza. Luján de Cuyo. Agrelo
VM: Se presenta sobrio y de a poco despliega moras, violetas, grafito y especias dulces. De acidez súper fresca. Es sedoso, fino y elegante. Madera sutil. Se siente la tiza y es levemente salino. Beber o guardar.
AG: Acá domina la frescura de la acidez, fruta roja fresca y pura como cassis. Tan puro que se pasa de elegancia.

97,5 / $$$$$
Gran Enemigo Agrelo Single Vineyard Cabernet Franc 2013.
Aleanna. Mendoza. Luján de Cuyo. Agrelo
VM: Profundidad y elegancia. Perfumes de moras, rosas y té negro. Un vino de alto impacto, textura aterciopelada, gran complejidad y final largo. 85% Cabernet Franc y 15% Malbec de suelo arcilloso.
AG: Agrelo dándolo todo, concentrado, con estructura, taninos dulces bien pulidos, con tensión y mucho volumen de fruta. Gran balance. Súper top.

97,5 / $$$$$
Lorenzo Parcela Oeste Malbec 2014.
Lorenzo de Agrelo. Mendoza. Luján de Cuyo. Agrelo

VM: Nariz fresca y floral. Guindas, ciruelas, pétalos de rosa y especias frescas. Textura sedosa y acidez fresca y sostenida. Se siente puro y elegante. Persistente.

AG: Puro, rico, fantástico en boca, muy bebible. Floral y especiado, textura fina y taninos tersos. Es elegante y tiene final de tiza.

97 / $$$$$
Fede Malbec 2014. Lorenzo de Agrelo. Mendoza. Luján de Cuyo. Agrelo

VM: Un vino profundo, integrado y elegantemente balanceado. Mix de frutas negras, viruta de lápiz y roble fino y delicado. Es complejo, concentrado y mineral. Gran presente y futuro.

AG: Concentrado, complejo y de paladar pleno. Es fino y sin aristas, con elegancia, todo en su lugar y de a poco va mostrándose Decantar un buen rato antes.

95.5 / $$$$
D.V. Catena Vineyard Designated La Pirámide
Cabernet Sauvignon 2012. Catena Zapata. Mendoza. Luján de Cuyo. Agrelo

VM: Nariz seductora que recuerda las moras, la menta fresca y el laurel. Su paso por madera le aporta toques ahumados y denota elegancia. De cuerpo intenso y acidez fresca, llena la boca y deja un final persistente. Gran expresión del Cabernet de Agrelo.

AG: Puro Cabernet de Agrelo, frutos negros, floral y mineral. Ya bien pulido, el tiempo le hizo bien. Está rico para beber. Buena tensión y textura aterciopelada.

95,5 / $$$$$
Juan de Dios 2013. Navarro Correas.
Mendoza. Luján de Cuyo. Agrelo

VM: Agrelo se hace presente con su perfil de fruta madura y su flor. Cada variedad hace su aporte al blend. Hay complejidad de aromas y sabores, mineralidad, estructura, frescura y equilibrio.

AG: Gran blend, definido, con tensión, frescura. Hierbas, eucalipto, frutos negros y especias, taninos firmes y fabulosa textura. Joven aún y con largo final. Con chuletón de Cerdo de Proper. Decantar.

95 / $$$$$

Mártir Malbec 2015. Lorenzo de Agrelo. Mendoza. Luján de Cuyo. Agrelo

VM: Elegante y pulido. Con pureza de cereza negra y ciruela fresca. Es floral y especiado. En boca presenta gran jugosidad y acidez súper fresca. Es mineral y equilibrado. Final prolongado.

AG: Un Agrelo distinto, agudo y con fruta fresca y pura. Gran tensión y sedosidad. Mineral y con largo final de fresca acidez y frescas hierbas.

93,5 / $$$$

Cadus Finca Las Torcazas Malbec 2014. Cadus Wines. Mendoza. Luján de Cuyo. Agrelo

VM: Este complejo Malbec proveniente de Alto Agrelo se presenta floral, texturado y de taninos firmes. Su frescura resalta sabores. Es persistente y elegante. Se desarrollará aún más con tiempo en botella.

AG: Si algo resalta este año son los ricos vinos que están saliendo de Agrelo y de Luján en general. El Finca Las Torcazas es puro, concentrado y austero, pero con personalidad. Pide decanter media hora antes. Es rico y apretado, compacto y de final de fruta pura. Para guardar.

93,5 / $$$$

Entrevero Blue Moustache 2013. Entrevero. Mendoza. Luján de Cuyo. Agrelo

VM: De perfil especiado y frutado. Es franco, puro, con textura, madera muy integrada, fresco y persistente. Hermosa expresión de Agrelo en un corte de Malbec y Cabernet Franc.

AG: Buen blend, se notan los dos aportes entre fruta fresca y costado herbal, hay tensión y fluidez. Es jugoso y fresco, rico final de eucalipto.

93 / $$$

Lamadrid Single Vineyard Gran Reserva Malbec 2012. Lamadrid. Mendoza. Luján de Cuyo. Agrelo

VM: Proviene de viñedos plantados a partir de 1929 y ofrece un vino perfumado, con especias frescas, flores y ciruela. Es un vino vertical, con textura rugosa, frescura y taninos crocantes.

AG: Rico, con tensión y jugoso, texturas bien trabajadas, taninos firmes y fresco final de frutos negros frescos.

93 / $$$$

Lote A112 Single Vineyard Malbec 2012. Norton. Mendoza. Luján de Cuyo. Agrelo

VM: Ciruela, especias dulces, con notas de vainilla, café y madera fresca. Es corpulento, de boca sabrosa y frescura media.

AG: El mejor de la saga Lote, tremendo color para un 2012, un vino que necesita le den tiempo expresarse, se va abriendo muy de a poco y muestra frutos negros, notas minerales y florales, es muy concentrado aún y con futuro para asedarse. Decantar.

93 / $$$$
Pulenta Gran Cabernet Franc 2013.
Pulenta Estate. Mendoza.
Luján de Cuyo. Agrelo

VM: Ya un clásico entre los grandes de esta variedad. Es complejo y expresa regaliz, viruta de lápiz, fruta negra madura y especias dulces. Aportes de roble en balance. Sedoso y redondo.

AG: Hay un estilo afianzado, redondo y con buen balance, frutos rojos, floral y con la madera bien ensamblada. Textura sedosa.

93 / $$$$
Bo Bó Gran Corte 2013. Trapezio.
Mendoza. Luján de Cuyo. Agrelo

VM: Compacto, floral con notas fruta negra y té negro. Cuerpo medio/alto, acidez fresca, aterciopelado y de columna firme. Persistente. Un corte de Malbec y Cabernet Franc que se integra y se potencia.

AG: Un señor Agrelo, con todo lo que implica. Súper estructura, compacto y bien armado, especias y hierbas, rico final con taninos firmes. Necesita tiempo y decanter.

92,5 / $$$$
Melipal Nazarena Vineyard 1923
Malbec 2014. Melipal.
Mendoza. Luján de Cuyo. Agrelo

VM: De una finca plantada en 1923 proviene este Malbec de Agrelo. Ofrece ciruela negra, pimienta blanca, cardamomo y lavanda. En boca es voluptuoso y sabroso, con taninos robustos. Beber o guardar.

AG: Un Malbec de estructura, potente, con notas de especias y floral, con carácter, buena fruta y final agarrado. Pide un bife de chorizo y ser decantado.

92,5 / $$$$$
Mártir Cabernet Franc 2015.
Fede. Mendoza. Luján de Cuyo.
Agrelo

VM: Fruta madura, especias y notas mentoladas y floral. Es potente, estructurado, con notas de grafito y taninos firmes

AG: Potente, frutos negros, vibrante y bien marcada la parte vegetal. Final con tensión y vivaz de fresca acidez.

92,5 / $$$$
Puro Corte D'Oro 2014.
Ojo de Agua. Mendoza.
Luján de Cuyo. Agrelo

VM: Ciruelas maduras y secas, nuez moscada, pimienta negra. Es potente, profundo, de taninos aterciopelados.

AG: Buena estructura, jugoso en boca, con peso, fruta fresca, con hierbas y especias, rico y con buen potencial de guarda.

92,5 / $$$
Puro Cabernet Sauvignon 2016.
Ojo de Agua. Mendoza.
Luján de Cuyo. Agrelo

VM: Cabernet súper joven que se irá redondeando y complejizando con el tiempo. Expresa hierbas y fruta negra madura. Es concentrado, estructurado y con taninos robustos. Tiene mucho para ofrecer. Mejor darle un tiempito en botella. Guardar.

AG: Un Cabernet sólido, compacto, con frutos negros y notas florales. Muy concentrado, con taninos apretados, jugoso y con mucha vida por delante. Pide decanter.

92 / $$$

Decero Remolinos Vineyard Malbec 2015. Finca Decero. Mendoza. Luján de Cuyo. Agrelo

VM: Claro Malbec de Agrelo con aromas de violetas y fruta roja madura. Es profundo, de cuerpo y acidez media, con taninos maduros.

AG: Muy buen vino. Floral y con frutos negros, taninos tersos y cuerpo medio. Buena acidez y tensión.

92 / $$$$

Guayquil El Elegido 2010. Huarpe. Mendoza. Luján de Cuyo. Agrelo

VM: Chocolate negro, hinojo, regaliz y mix de frutas rojas y negras. Un 2010 de gran vivacidad. Es jugoso, de acidez fresca, taninos pulidos y madera integrada. Persistente.

AG: Especiado, jugoso, bebible y bien sostenido en el tiempo. Final de fresca acidez, persistente, mantiene el nervio y está rico para tomar.

92 / $$$

Puro Malbec 2015. Ojo de Agua. Mendoza. Luján de Cuyo. Agrelo

VM: Ciruela negra madura, violetas y especias. Es concentrado, robusto, con taninos aterciopelados. De uvas orgánicas

AG: Honesto, concentrado, mucha fruta, buena textura, rico, balanceado. Un exponente del lugar.

AGRELO

Nuevos vientos soplan desde Agrelo,
vinos más frescos y delicados que
hace unos años. Hay un cambio notable
en la viticultura de esta histórica zona.
Muchas de las clásicas bodegas están haciendo
vinos más tomables, elegantes y para beber jóvenes,
no tan concentrados y estructurados como antaño.
Con varios vinos en el Top 20, nos hace volver
a mirar para este lado y no obnubilarnos
solo con el Valle de Uco. Fantástica reinterpretación
del terroir por parte de los winemakers de la zona.
AG.

AGRELO: LA PROFUNDIDAD, LA ELEGANCIA Y LA FRUTA INTENSA.

VM.

92 / $$$$
Zolo Black Petit Verdot 2012. Tapiz. Mendoza. Luján de Cuyo. Alto Agrelo
VM: Con notas mentoladas, de pimienta verde y fruta negra, potencia en balance. De taninos firmes, acidez refrescante y final sabroso. AG: Rico, fresco, concentrado. Con frutos negros y especias.

91,5 / $$$
Huarpe Agrelo Terroir 2013. Huarpe. Mendoza. Luján de Cuyo. Agrelo

91,5 / $$$
Las Perdices Petit Verdot 2015. Las Perdices. Mendoza. Luján de Cuyo. Agrelo

91 / $$$$
Angélica Zapata Alta Cabernet Franc 2012. Catena Zapata. Mendoza. Luján de Cuyo. Agrelo

91 / $$
Lamadrid Single Vineyard Reserva Malbec 2014. Lamadrid. Mendoza. Luján de Cuyo. Agrelo

91 / $$$$
Nieto Senetiner Partida Limitada Bonarda 2015. Nieto Senetiner. Mendoza. Luján de Cuyo. Agrelo

91 / $$$$
Pulenta IV Gran Cabernet Sauvignon 2013. Pulenta. Mendoza. Luján de Cuyo. Agrelo

91 / $$$
Finca La Anita Syrah 2015. Finca La Anita. Mendoza. Luján de Cuyo. Agrelo

91 / $$$
Finca La Anita Petit Verdot 2014. Finca La Anita. Mendoza. Luján de Cuyo. Agrelo

91 / $$$
Las Perdices Ala Colorada Ancelotta 2014. Las Perdices. Mendoza. Luján de Cuyo. Agrelo

90,5 / $$
Saint Felicien Tributo a Carlos Alonso Syrah 2015. Catena Zapata. Mendoza. Luján de Cuyo. Agrelo

90,5 / $$$$
The Owl & The Dust Evil 2014. Finca Decero. Mendoza. Luján de Cuyo. Agrelo

90,5 / $$
Luna Malbec 2015. Finca La Anita. Mendoza. Luján de Cuyo. Agrelo

90,5 / $$$$
Matilde Single Vineyard Malbec 2011.
Lamadrid. Mendoza. Luján de Cuyo.
Agrelo

90,5 / $$$$$
S/N Malbec 2013. Las Perdices.
Mendoza. Luján de Cuyo.
Agrelo

90,5 / $$$$
Bo Bó Gran Corte 2011. Trapezio.
Mendoza. Luján de Cuyo. Agrelo

90 / $$$$
Begani Premium Blend 2011.
Begani. Mendoza.
Luján de Cuyo. Agrelo

90 / $$
Saint Felicien Tributo a Carlos Alonso
Cabernet Franc 2015.
Catena Zapata. Mendoza.
Luján de Cuyo. Agrelo

90 / $$$$
Tinamú 2012. Las Perdices.
Mendoza. Luján de Cuyo. Agrelo

90 / $$
Melipal Estate Bottled I.G. Agrelo
Malbec 2015. Melipal. Mendoza.
Luján de Cuyo. Agrelo

90 / $$
Navarro Correas Reserve Selección
de Barricas Cabernet Sauvignon 2015.
Navarro Correas.
Mendoza. Luján de Cuyo.
Agrelo

90 / $$$
Petit Bo Bó Blend 2013. Trapezio.
Mendoza. Luján de Cuyo. Agrelo

89,5 / $$
Lamadrid Single Vineyard Reserva
Bonarda 2014. Lamadrid. Mendoza.
Luján de Cuyo. Agrelo

89 / $$$
Pulenta Cabernet Sauvignon 2014.
Pulenta. Mendoza. Luján de Cuyo.
Agrelo

89 / $$
Escorihuela Gascón Cabernet Franc
2015. Escorihuela Gascón. Mendoza.
Luján de Cuyo. Agrelo

89 / $$
Lamadrid Single Vineyard Reserva
Cabernet Franc 2014. Lamadrid.
Mendoza. Luján de Cuyo. Agrelo

88,5 / $$
Argento Reserva Cabernet Franc 2014.
Argento. Mendoza. Luján de Cuyo. Agrelo

88,5 / $$
Taymente Malbec 2015. Huarpe.
Mendoza. Luján de Cuyo. Agrelo

88,5 / $$
Melipal Cabernet Franc 2014. Melipal.
Mendoza. Luján de Cuyo. Agrelo

88 / $$$$
Begani Master Blend Private Terroir
2010. Begani. Mendoza. Luján de Cuyo.
Agrelo

88 / $$
Melipal Blend 2014. Melipal. Mendoza.
Luján de Cuyo. Agrelo

88 / $$
Melipal Cabernet Sauvignon 2014. Melipal.
Mendoza. Lujan de Cuyo. Agrelo

88 / $$
Zolo Reserve Malbec 2014. Tapiz.
Mendoza. Luján de Cuyo. Agrelo

88 / $
Ikella Merlot 2016. Melipal.
Mendoza. Luján de Cuyo. Agrelo

Blancos

94 / $$$$$
Mártir Chardonnay 2016. Fede
VM: Duraznos jugosos, azafrán, especias frescas y yesca. Es un blanco estructurado, elegante, fresco y de final franco.
AG: Mineral, con buen volumen y fruta blanca. Balanceado y con fresca acidez.
Un vino de gran equilibrio.

92 / $$$
**Escorihuela Gascón Gran Reserva
Chardonnay 2015. Escorihuela Gascón.
Mendoza. Luján de Cuyo. Agrelo**
VM: Aromas de manzana fresca y asada, cítricos, mix de especias y madera sutil. En boca es amplio, de frescura media y final sabroso.
AG: De estilo clásico, bien integrado. Con madera, vainilla y mantecoso. Sostenido por una rica y buena acidez y gran balance.

89 / $$
**Las Perdices Reserva
Chardonnay 2015. Las Perdices.
Mendoza. Luján de Cuyo.
Agrelo**

88,5 / $$
El Relator Sauvignon Blanc 2016.
El Relator Wines. Mendoza.
Luján de Cuyo. Agrelo

88 / $$
Petit Bo Bó Chardonnay 2015. Trapezio.
Mendoza. Luján de Cuyo. Agrelo

Espumantes

91 / $$$
Entrevero Extra Brut. Entrevero.
Mendoza. Luján de Cuyo. Agrelo

Mayor Drummond

Tintos

93 / $$$
Mendel Malbec 2015. Mendel Wines.
Mendoza. Luján de Cuyo.
Mayor Drummond
VM: Vivaz, con expresión de fruta pura, violetas y cedro. Es complejo, con acidez fresca y taninos finos. Final elegante.
AG: Rico fresco y con pureza varietal. Concentrado y con texturas. Gran balance y rico para beberlo ya.

Blancos

91,5 / $$
Lagarde Semillón 2016.
Lagarde. Mendoza.
Luján de Cuyo.
Mayor Drummond

Perdriel

Tintos

93 / $$$

Casarena Owen's Single Vineyard Agrelo Cabernet Sauvignon 2015. Casarena Bodega y Viñedos. Mendoza. Luján de Cuyo. Perdriel

VM: Nariz fresca que remite a las especias, al pimiento verde y a las hierbas. Notas de café y chocolate. Se escurre con fluidez, tiene filo y taninos pulidos. Persistente. ¡De parrales de 1930!
AG: Rico, bebible, con buena estructura y jugosidad, final de fresca acidez y frutos rojos.

93 / $$$

Mendel Cabernet Sauvignon 2015. Mendel Wines. Mendoza. Luján de Cuyo. Perdriel

VM: Gran Cabernet con complejidad y potencia. Es profundo, con gran expresión de fruta. Moras, menta y madera elegante. De columna firme y textura mineral. Guardar.
AG: Sólido, compacto y concentrado, pimienta, frutos negros y aún un poco cerrado. Agradece decanter.

92,5 / $$$

Flâneur Single Vineyard Reserve 970m Malbec 2014. Los Flâneurs. Mendoza. Luján de Cuyo. Perdriel

VM: Proyecto joven y en la búsqueda. Encontraron un Malbec de nariz picante y fragante. En boca es delicado, fluido, con una acidez fresca y final seco.
AG: Gran textura, riquísima fruta fresca con especias y nota mineral. La madera firme, bien ensamblada. Largo final. Gran estilo.

91 / $$$

Guarda Colección de Viñedos Cabernet Franc 2014. Lagarde. Mendoza. Luján de Cuyo. Perdriel

90 / $$$$

Primeras Viñas Cabernet Sauvignon 2013. Lagarde. Mendoza. Luján de Cuyo. Perdriel

89 / $$$$
Siete Pasos Reserve Malbec 2015.
Estrella de los Andes. Mendoza.
Luján de Cuyo. Perdriel

88 / $$
Lagarde Malbec 2015. Lagarde.
Mendoza. Luján de Cuyo. Perdriel

88 / $$$$
Pont L' Evêque Legende Unique
Corazón de Roble Malbec 2014.
Estrella de los Andes. Mendoza.
Luján de Cuyo. Perdriel

Blancos

90 / $$$
Flâneur Blanc de Blancs 2014.
Los Flâneurs. Mendoza.
Luján de Cuyo. Perdriel

88,5 / $$
Lagarde Dolce Moscato Bianco.
Lagarde. Mendoza. Luján de Cuyo.
Perdriel

88 / $$
Lagarde Viognier 2016.
Lagarde. Mendoza. Luján de Cuyo.
Perdriel

 Vistalba

Antiguos viñedos en plena producción

Por Alejandro Cánovas / Enólogo de Bodega Vistalba.

Distrito de Luján de Cuyo, corazón de la llamada Primera Zona, que limita al sur con la margen izquierda del río Mendoza, al este con el canal Cacique Guaymallén, al oeste con el distrito Las Compuertas y al norte con Chacras de Coria.

Es, junto con Las Compuertas, una de las zonas más altas irrigadas por las aguas del río Mendoza. De suelos basales originados por aluviones, con una capa superior que puede variar entre 0 y 100 cm de profundidad, compuesta por una textura franco arcillosa y franco limosa, allí encontramos viñedos de Malbec implantados a pie franco y en su mayoría irrigados tradicionalmente. Esto nos permite mantener viñedos plantados a principios del siglo XX aún en producción, debido a la posibilidad de reposición de plantas a través de la técnica del mugrón.

Los vinos Malbec de esta región son de una calidad y redondez de taninos inigualables, con un volumen y textura en boca únicos, y de aromas de frutas rojas maduras, a menudo con notas de ciruelas confitadas.

VISTALBA:
CONCENTRACIÓN,
MATICES Y AMPLITUD
VM.

Tintos

94 / $$$$

Gran Malbec de Angeles Viña 1924 Malbec 2013.
De Angeles. Mendoza. Luján de Cuyo. Vistalba

VM: Nace de un viñedo antiguo de Vistalba. Malbec profundo, floral y de gran pureza frutal. Llena la boca, su cuerpo es medio/alto, con taninos pulidos. Su paso por roble lo completa y redondea. Final elegante. 1924 es la fecha de registro. ¡Historia en la copa!

AG: Otro que año a año muestra consistencia, buen balance, fresca acidez, rica fruta, crujiente, con nervio y tensión. Taninos agarrados y firmes, jugosidad.

94 / $$$$

Don Nicanor Single Vineyard Villa Blanca Malbec 2014.
Nieto Senetiner. Mendoza. Luján de Cuyo. Vistalba

VM: Cassis y ciruela negra, rosas y notas de hojas secas. Los matices de madera fresca son sutiles y acompañan. Es profundo, sedoso, fresco y de cuerpo medio/alto. Desarrollará elegancia en botella. Persistente.

AG: Fácil de tomar, rico, goloso y crujiente. Buena acidez, con nariz floral y de fruta pura. Final preciso.

92,5 / $$$

Kaiken Ultra Cabernet
Sauvignon 2015. Kaiken Wines.
Mendoza. Luján de Cuyo. Vistalba

VM: Un Cabernet argentino de Aurelio Montes que siempre tiene mucho para ofrecer. Pureza y balance, madera integrada, grafito, laurel y tabaco. Estructura, taninos firmes y final persistente. Con 5% de Malbec.

AG: Buen perfil de Cabernet de Vistalba, fresco, herbal, carnoso, gran acidez y volumen final con taninos firmes.

92,5 / $$$

Nina Gran Malbec 2014.
San Huberto. Mendoza.
Luján de Cuyo. Vistalba

VM: Hierbas secas, ciruela fresca y toques florales. De columna sostenida, sabroso, vertical y de agradable frescura.

AG: El mejor Nina. Herbal, licoroso y con frutos negros, especias dulces y buen fluir. Taninos tersos, buena acidez y buen balance.

92 / $$$

Vistalba Corte B 2015. Vistalba.
Mendoza. Luján de Cuyo.
Vistalba

VM: Fruta negra y roja madura, con notas mentoladas y rastros de lavanda. Rico, de cuerpo medio/alto, texturado y balanceado.

AG: Especias y pimienta negra, frutos negros, fresco, buena tensión y buen balance.

91,5 / $$$

Luigi Bosca Malbec D.O.C. 2014.
Luigi Bosca. Mendoza.
Lujan de Cuyo. Vistalba

90 / $$$

Malbec de Angeles Viña 1924
Malbec 2013. De Angeles.
Mendoza. Luján de Cuyo.
Vistalba

89,5 / $$

Casta del Sur Malbec 2013. Maitenes.
Mendoza. Lujan de Cuyo. Vistalba

88 / $$

Canyengue Grand Reserve 2012.
Casta del Sur. Mendoza.
Luján de Cuyo. Vistalba

Espumantes

89 $$

Nieto Senetiner Pinot Noir. Extra Brut.
Nieto Senetiner. Mendoza.
Luján de Cuyo. Vistalba

Las Compuertas

La tierra que lo tiene todo

Por Matías Riccitelli / Enólogo. Propietario de Riccitelli Wines.

Sitúense en la zona más alta del tradicional Luján de Cuyo, el pedemonte mendocino. Es la zona limitada al sur por el río Mendoza, al este por la calle Ortiz Maldonado que la separa de Vistalba y al norte por Chacras de Coria.

Terroir pequeño, de escasas 450 hectáreas, entre 1.000 y 1.100 metros de altura, donde el 80 % de sus plantaciones datan de principios del siglo XX (entre 1910 y 1930).

Sus suelos son de origen aluvional, de textura arenosa y franco-arcillosa de 1 a 2 metros, soportadas por un subsuelo de gravas y canto rodado que en ocasiones sale a la superficie, donde todavía mantenemos el riego por surco.

Para mí, Las Compuertas lo tiene todo: la altura que nos da noches frías y amplitudes térmicas ideales para mantener la acidez natural y frescura en las uvas; el Malbec, que se adapta en estos suelos de buena permeabilidad de una manera excepcional, sus raíces escarban los cantos rodados y llegan a gran profundidad; viñas viejas que regulan sus bajos rendimientos naturales, dando vinos de gran concentración. Por último, la tradición de su gente, que ha pasado de generación en generación el conocimiento y la pasión del trabajo en la viña. Un combo explosivo.

**Sólo 450 hectáreas que resisten el embate
de la urbanización, de la mano de proyectos como Chandon,
Luigi Bosca, Cheval Des Andes, Riccitelli, Durigutti.
Vinos con mucha personalidad y clase, grandes en un pago chico.
Me encantan los vinos de Las Compuertas.**

AG.

Tintos

96,5 / $$$$

República del Malbec 2015. Matías Riccitelli.
Mendoza. Luján de Cuyo. Las Compuertas

VM: Color violeta profundo; aromas de rosas, frutas negras frescas, amaretti y viruta de lápiz. Con gran presencia en boca, acidez muy fresca y gran cuerpo. Mejor aún con un tiempo en botella.

AG: Con varias añadas encima, un clásico de los podios. Herbal, fresco, floral y complejo, súper profundo y con gran frescura y complejidad. Elegante, final largo y finos taninos tersos. Gran textura, riquísimo ahora y por muchos años.

95 / $$$$$

Luigi Bosca Icono 2011. Luigi Bosca.
Mendoza. Luján de Cuyo. Las Compuertas

VM: Elegante corte argentino, donde el equilibrio, el balance y su sutileza lo convierten en un gran exponente.

AG: Una bodega clásica cuyo top es un clásico. Con buena complejidad y fineza, tensión y rica y fresca acidez, textura granulosa, buena fruta y taninos firmes de Cabernet. Decantar y atreverse al confit de pato de Red.

95 / $$$$$

Cheval des Andes 2013.
Cheval Blanc & Terrazas de los Andes. Mendoza.
Luján de Cuyo. Las Compuertas

VM: Concentrado y potente. Moras, laurel, notas de pino, flores y tiza. El roble de las barricas deja su trazo. Se siente joven y vibrante. Un vino para guardar.

AG: Otro que siempre está en el podio, mostrando hasta dónde se puede llegar en Las Compuertas. Es especiado y herbal, agarrado, firme en boca y con volumen. Domina el Cabernet y su estructura. Decantar y abrir con tiempo. Con la pierna de Chancho de 878.

LAS COMPUERTAS:
INTENSIDAD,
FRAGANCIA Y CORPULENCIA.
VM.

92,5 / $$$$

Terrazas de los Andes Single Vineyard Las Compuertas Malbec 2012. Terrazas de los Andes. Mendoza. Luján de Cuyo. Las Compuertas

VM: Cirulas maduras, mix de especias picantes y dulces, flores y chocolate. Un vino intenso, con capas, de taninos firmes y final sabroso. Mejor con un tiempo en botella.

AG: Interesante interpretación de Las Compuertas. Buena estructura, agarre y concentración. Todavía apretados sus taninos pero con frescura y buena acidez, un buen Malbec de guarda que pide ser decantado.

92,5 / $$$$$

Luigi Bosca Finca Los Nobles Field Blend 2012. Luigi Bosca. Mendoza. Luján de Cuyo. Las Compuertas

VM: Fruta negra, tabaco, menta, y especias. De columna firme y acidez fresca. Elegante.

AG: Especiado jugoso, bien armado, compacto y con estilo. Clásico.

91,5 / $$$$

Luigi Bosca Gala 4 2014. Luigi Bosca. Mendoza. Luján de Cuyo. Las Compuertas

91 / $$$$

Carmela Gran Reserva Single Vineyard Malbec 2014. Durigutti. Mendoza. Luján de Cuyo. Las Compuertas

89,5 / $$$$

Carmela Reserva Single Vineyard Malbec 2013. Durigutti. Mendoza. Luján de Cuyo. Las Compuertas

Blancos

93 / $$$$

Finca Los Nobles Chardonnay 2015. Luigi Bosca. Mendoza. Luján de Cuyo. Las Compuertas

VM: Durazno jugoso, avellanas, notas tostadas aportadas por su crianza en roble y miel. En boca es voluminoso, elgante, complejo, franco, de acidez fresca y final seco. Las uvas de la Finca Los Nobles provienen de vides de más de 90 años.

AG: Las compuertas puede dar muy ricos Chardonnay. Como este, puro, fresco, gran fruta blanca y toque de lima. Conciso y con volumen. Final seco y frutal, balanceado.

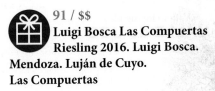 **91 / $$**

Luigi Bosca Las Compuertas Riesling 2016. Luigi Bosca. Mendoza. Luján de Cuyo. Las Compuertas

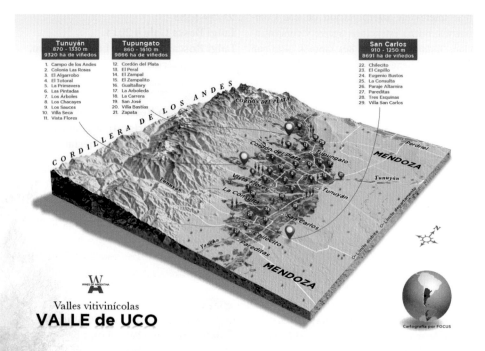

Tunuyán
870 - 1330 m
9320 ha de viñedos

1. Campo de los Andes
2. Colonia Las Rosas
3. El Algarrobo
4. El Totoral
5. La Primavera
6. Las Pintadas
7. Los Árboles
8. Los Chacayes
9. Los Sauces
10. Villa Seca
11. Vista Flores

Tupungato
860 - 1610 m
9866 ha de viñedos

12. Cordón del Plata
13. El Peral
14. El Zampal
15. El Zampalito
16. Gualtallary
17. La Arboleda
18. La Carrera
19. San José
20. Villa Bastías
21. Zapata

San Carlos
910 - 1250 m
8691 ha de viñedos

22. Chilecito
23. El Cepillo
24. Eugenio Bustos
25. La Consulta
26. Paraje Altamira
27. Pareditas
28. Tres Esquinas
29. Villa San Carlos

Valles vitivinícolas
VALLE de UCO

Cartografía por FOCUS

Gentileza Wines of Argentina

Valle de Uco

Tintos

96,5 / $$$$
Soleado 2014. Corazón del Sol.
Mendoza. Valle de Uco

VM: De color brillante y concentrado. Hay hierbas, flores, especias y fruta roja y negra. Es elegante y complejo. Su acidez refresca y resalta sabores. Equilibrado. Vino con presente y gran futuro.

AG: Riquísimo, con textura de tiza, capas de sabor de fruta en su punto justo, especias, toque floral y mineral, todo bien integrado. Final fresco y largo. Decantar y acompañar con chinchulines de cordero de Don Julio.

96 / $$$$$
Luminoso 2014. Corazón del Sol.
Mendoza. Valle de Uco

VM: Floral, con aroma y sabor de fruta roja y especias. Es complejo, con filo, texturado, especiado, mineral y salino. De cuerpo medio/liviano. Persistente.

AG: Un corte que combina bárbaro, elegante, distinto, rico y con tensión. Especiado, frutos negros, mineral, cuero y taninos tensos y bien integrados.

96 / $$$$$

Gran Enemigo El Cepillo Single Vineyard Cabernet Franc 2013.
Aleanna. Mendoza. Valle de Uco

VM: Futa negra vibrante, violetas y especias. Es voluptuoso, carnoso y de alto impacto. De acidez refrescante y gran balance. Sabroso y persistente. 85 % Cabernet Franc y 15 % Malbec de suelo coluvial con fondo de calcáreo marino. AG: Compendio de fruta negra, amplio en boca, con elegancia austera y final fresco y rico.

96 / $$$

Polígonos del Valle de Uco San Pablo Cabernet Franc 2016.
Zuccardi Valle de Uco. Mendoza. Valle de Uco

VM: Austeridad y fineza. Proviene de viñedos plantados a 1400 metros de altura y es su primera añada. Ofrece fruta negra de baya y especias frescas. Tiene jugosidad y sostén a la vez. De textura calcárea y acidez súper refrescante. Criado en fudres. 13 % de alcohol.
AG: ¡Tremendo exponente de San Pablo! Filoso, agudo y concentrado, texturas adorables con capas de sabores, fruta pura y final largo de tiza. Con bife de chorizo en Happening.

95,5 / $$$$

Gauchezco Oro Appelation Los Arboles Malbec 2013.
Gauchezco. Mendoza. Valle de Uco

VM: Vino ícono de la bodega, ahora con detalle de procedencia. Expresa aromas a rosas y ciruelas dulces. En boca es elegante, equilibrado, sabroso, fresco y mineral. Persistente. Beber ahora o guardar.
AG: Oro para el Gauchezco Oro. Buena concentración en boca, linda textura, tensión y filo. Es largo, la fruta es pura y fresca, hay una sensación de tiza y final largo. Muy bebible. Con el gigot de cordero de Pura Tierra.

95,5 / $$$$

Gran Mascota Malbec 2013.
Mascota Vineyards. Mendoza.
Valle de Uco

VM: Fruta roja dulce, mix de especias, lavanda y notas mentoladas. En boca es profundo, aterciopelado, con mucho sabor, presencia y equilibrio.
AG: Bienvenidos los vinos de La Mascota, siempre cumplen. Este Malbec es mineral, con textura de tiza, pureza frutal. Muy rico y con gran tensión, especias y final largo y difícil de olvidar. Con el magret de pato de Oporto.

95,5 / $$$$$

Buscado Vivo o Muerto San Jorge Malbec 2014.
Bodega Buscado Vivo o Muerto. Mendoza. Valle de Uco

VM: Nariz vibrante con flores, fruta y especias. Es delicado, jugoso, de acidez filosa, mineral. Con taninos firmes y crianza elegante y balanceada. Final seco y delicioso. Co-fermentación de Malbec, Cabernet Franc y Cabernet Sauvignon.
AG: Notas de pólvora y floral, filoso en boca, con taninos punzantes, jugoso, bebible y con buena tensión final. Decantar.

95 / $$$$

Lote Negro 2015. Norton.
Mendoza. Valle de Uco

VM: Nariz fresca, con especias, fruta, notas de chocolate amargo y cedro. En boca se presenta delicado pero con columna y estructura que lo enmarca y sostiene. Es fresco, franco y de final elegante.
AG: Más de Norton en el podio. Complejo, profundo e intenso. Seductor y fresco en nariz, herbal, frutos negros y especias. Buena acidez y tensión, con buena guarda por delante. Decantar.

95 / $$$$$

Buscado Vivo o Muerto El Indio Malbec 2014.
Bodega Buscado Vivo o Muerto. Mendoza. Valle de Uco

VM: Son 5 los integrantes de esta serie que se distinguen por su búsqueda, procedencia y corte en la co-fermentación con Malbec. El Indio tiene origen en El Cepillo. Su primera expresión aromática es rezagada y de a poco va mostrando riqueza. Predominan hierbas, como el tomillo, y fresas. Con trazo y texturas, es filoso y de impacto. Malbec, Tempranillo y Cabernet Sauvignon. Trasvasar.
AG: Austero en nariz, va mostrando lentamente su costado floral y especiado. Tiene tensión y personalidad, jugoso y muy largo. Pureza frutal. Joven aún.

95 / $$$

Polígonos del Valle de Uco San Pablo Malbec 2015.
Zuccardi Valle de Uco. Mendoza. Valle de Uco

VM: A 1400 msnm se encuentran las viñas que le dan vida a este vino especial. Es austero, vertical, con marcada presencia de notas herbáceas y textura de tiza. Un vino muy fresco y de mucha pureza. Tiene capas, es súper bebible y persistente.
AG: Sebastián Zucardi fue a fondo con San Pablo y nos enamoró. Vino concentrado y con mucho para decir. Gran volumen y largo, filoso y con tensión. Rico ahora y en unos años. Con un corte ahumado de La Carnicería.

95 / $$$$

Octava Alta Blend 2012.
Abremundos. Mendoza. Valle de Uco

VM: Hierbas, regaliz, pimienta rosa, fruta negra y grafito. Llena la boca, es carnoso y vivaz. Sus taninos son robustos y su final persistente. Beber o guardar.

AG: Concentrado y vibrante, frutos negros, violetas y hierbas frescas. Contundente final de taninos tensos, con buen agarre. Pide decanter y un bife de chorizo de la parrilla del barrio.

95 / $$$$

Altar Uco Edad Media Tinto 2014.
Zorzal Wines. Mendoza. Valle de Uco

VM: Nariz fragante con moras y cassis, menta fresca, violetas y especias frescas. De acidez fresca, textura de tiza y taninos firmes. Equilibrado. ¡Un vino puro y vivaz! Bend de Malbec, Cabernet Franc y Merlot.

AG: Rico, opulento y vibrante mix de variedades. Frutos rojos, mineral y floral, toque de hierbas frescas. Taninos apretados y buen volumen en boca. Final con buena acidez y tensión.

95 / $$$$

TOP 20

Vertebrado Cabernet Franc 2015. Viña Los Chocos.
Mendoza. Valle de Uco

VM: Herbal, con notas de eucalipto, pimienta rosa y violetas. Textura, mineralidad, acidez súper fresca y madera sutil. De estructura y sabor sostenido. Final largo. ¡Hermoso Cabernet Franc!

AG: Otro Cabernet Franc al podio. Súper herbal, eucalipto, concentrado, pimienta rosa. Aromático y con buena textura, rico y con taninos sedosos. Perfumado y seductor.

94,5 / $$$

TOP 20

Pintom Gabriel Dvoskin
Pinot Noir 2016. Pintom. Mendoza. Valle de Uco

VM: Con una producción anual de 5000 botellas se presenta la tercera cosecha de este Pinot que se distingue. Una búsqueda constante y minuciosa resulta en un vino de nariz picante, con aromas de especias, hierbas frescas, fruta roja y hoja seca. Es pleno, fresco, mineral, de textura delicada y estructura media. Es equilibrado y de prolongada persistencia.

AG: Muy rico. Buena complejidad en nariz, hierbas frescas, pureza frutal y directo. En boca es sedoso y vertical.

94,5 / $$$$

Gran Mascota Cabernet Sauvignon 2013.
Mascota Vineyards. Mendoza. Valle de Uco. San Carlos.

VM: Expresivo Cabernet donde se perciben el cassis, el cedro fresco y las especias. Es potente, cárnico, y con capas de sabores y texturas. Estructurado y persistente.

AG: Fresco y vibrante, con tensión y filoso. Rico. Frutos negros, hierbas y con complejidad. Los vinos de La Mascota vienen marchando con consistencia. Con arañita de Basa.

94,5 / $$$$

Función Cabernet Sauvignon Palco 2015.
El Equilibrista, Wines. Mendoza. Valle de Uco

VM: Fruta negra, pimienta rosa y verde, viruta de lápiz, con notas mentoladas. En boca tiene textura de tiza, taninos crocantes y final potente. Beber o guardar.

AG: Interesante Cabernet. Combina la parte vegetal y herbal. Es fresco y con rica fruta roja, textura de tiza y taninos tensos. Final largo y vertical.

94,5 / $$$$

B Crux 2011. O. Fournier. Mendoza. Valle de Uco

VM: Ciruela madura, hoja de tomate, olivas negras y especias. De sabor envolvente, texturado, vivaz, complejo, concentrado y corpulento. Trasvasar.

AG: Bien sostenido en el tiempo, riquísima fruta, jugoso. Con tensión, balance y vida por delante. Gran acidez.

94 / $$$$$

Bressia Conjuro 2012. Bressia. Mendoza. Valle de Uco

VM: Sabroso y texturado. Un vino compacto, de acidez fresca, que expresa hierbas, cedro, sándalo y frutas negras. Madera elegante. Final persistente.

AG: Amplia paleta de aromas, complejo. Especias, frutos negros, mineral, madera. La madera fresca aún domina en boca, pero la fruta se sostiene. Es rico y con final de vainilla y especias.

94 / $$$$

Sophenia Synthesis Cabernet Sauvignon 2012.
Finca Sophenia. Mendoza. Valle de Uco

VM: Concentrado, complejo, con gran tipicidad. Tiene gran estructura, textura mineral y final elegante. Beber o guardar.

AG: Concentrado y de paladar pleno, vivaz y bien armado. Con tipicidad, balance y futuro por delante. Decantar.

94 / $$$$$

**Apartado Gran Malbec 2013. Rutini Wines. Mendoza.
Valle de Uco**

VM: Entrada dulce, concentrado, corpulento y taninos firmes. Especias, fruta negra y roble nuevo. De gran presencia y persistencia. Blend de Malbec de La Consulta, Altamira y Tupungato.

AG: Si bien hay un gran vino, aún la madera lo domina en sus taninos. Es carnoso, con estructura y taninos firmes. Pura fruta negra, herbal y mineral.

TOP 20

94 / $$$$

**Sophenia Antisynthesis Field Blend 2015.
Finca Sophenia. Mendoza. Valle de Uco**

VM: ¡Gran añada para este vino! Es picante y herbal. En boca es jugoso, filoso, mineral, vertical, crocante y súper fresco. Un blend de Malbec y Cabernet Sauvignon que crecen juntos en el mismo cuartel.

AG: Un vino con gran balance, filoso en boca, jugoso y concentrado, pulido y redondo. Con la milanesa de ojo de bife de Casa Cruz.

94 / $$

**Tapiz Alta Collection Malbec 2014. Tapiz.
Mendoza. Valle de Uco**

VM: Proviene de una finca en San Pablo, a más de 1300 msnm. El lugar le brinda una fruta expresiva. Súper floral con notas tostadas. Es vivaz, texturado, fino y levemente salino. Final elegante.

AG: Tapiz mostrando el potencial de San Pablo en una franja de precios amigable. Un vino carnoso, filoso y con gran textura. Frutos negros, mineral, flores. Gran final de taninos con tensión. Hay vino para un buen rato. Best Buy.

94 / $$$$$

**Puramun Co-fermented 2013.
Puramun Wines of Pepe Galante. Mendoza. Valle de Uco**

VM: De gran estructura y taninos robustos, es corpulento y carnoso. Súper especiado. Lo acompañan la fruta negra y el trazo de las barricas. Co-fermentación de Malbec y Petit Verdot.

AG: Gran color, con mucha extracción, frutos negros y taninos firmes. Buena acidez y final compacto. Pide decanter y una carne a gritos. Esperarlo un rato para que se abra.

94 / $$$$
Puramun Reserva Malbec 2013.
Puramun Wines of Pepe Galante. Mendoza. Valle de Uco

VM: Nariz fragante. Mix de hierbas y especias para este Malbec elegante de textura aterciopelada y estructura firme. Tiene matices y capas. Final largo. Malbec de La Consulta y Chacayes.

AG: Bienvenidos los vinos del gran Pepe Galante a RVA. Este Reserva tiene estructura, es compacto, bien armado, con peso y fruta. Aún taninos tensos. Final de vainilla y especias. Agradece decanter.

94 / $$$
Susana Balbo Signature Cabernet Sauvignon 2015.
Susana Balbo Wines. Mendoza. Valle de Uco

VM: Vino súper especiado, con aromas a mora y tabaco. De acidez fresca. Es corpulento, con taninos firmes e integrados y final persistente y sabroso. Una línea que se obtiene de una específica selección de barriles.

AG: Serio, con personalidad. Frutal, especiado y con nervio. Vibrante en boca. Buena guarda. Un Cabernet masculino. Probarlo con parrillada gourmet de domingo para invitados especiales.

94 / $$$$$
Buscado Vivo o Muerto El Cerro Malbec 2014.
Bodega Buscado Vivo o Muerto. Mendoza. Valle de Uco

VM: De cierta austeridad aromática, ofrece fruta negra (como cassis), pimienta rosa y hierbas frescas. Estructurado y a la vez fluido y sedoso. Final levemente salino y mineral. Co-fermentación de Malbec y Cabernet Franc.

AG: Austero en nariz. Con textura y frescura, tiene tensión y capas de sabores. Necesita decanter para abrirse y mostrar su potencial.

93,5 / $$$$
Trapiche Terroir Series Laborde Single Vineyard Cabernet Sauvignon 2012. Trapiche. Mendoza. Valle de Uco

VM: Clásico y potente Cabernet con notas de frutos negros maduros, especias y roble. Corpulento, de taninos robustos. Mejor con un tiempo en botella.

AG: Interesante, con filo, tensión y aún fruta. Es rico y se mantuvo firme en el tiempo.

93,5 / $$$$
Organic Vineyard Malbec 2016. Escorihuela Gascón. Mendoza. Valle de Uco

VM: Bodega fundada en 1884 que ofrece su primera línea de vinos con uvas orgánicas. Es puro, de gran presencia frutal y nariz picante. Textura sedosa y columna marcada que sostiene su sabor.

AG: De viñedos orgánicos, es limpio, con fruta roja fresca y pura. Sedoso y lineal, taninos apretados y muy rico para tomarlo sin pensar. Con la hamburguesa de cordero de 878.

93,5 / $$$
Gauchezco Plata Grand Reserve Malbec 2014. Gauchezco. Mendoza. Valle de Uco

VM: Rico Malbec de entrada dulce. Llena la boca de sabores de fruta fresca y hierbas. Su crianza tiene un mix de roble francés, americano y húngaro. Es de cuerpo medio, muy bebible, sabroso y persistente.

AG: Dejó de ser la bodega sorpresa y ya muestra consistencia en la calidad en todos sus vinos. El Plata Gran Reserve es complejo y con una vasta paleta de aromas. Flores, tiza. En boca hay muy buena textura y capas de sabores. Taninos tersos y largo final. Me la juego con empanadas de lomo a cuchillo de Casa Cruz.

93,5 / $$$$
Navarro Correas Selección del Enólogo Single Vineyard Malbec 2012. Navarro Correas. Mendoza. Valle de Uco

VM: Especias dulces como regaliz y vainilla, ciruelas negras, menta y tabaco. En boca es carnoso, sabroso, franco y persistente.

AG: Limpio y profundo, nariz herbal fresca y especiada, filoso y con textura, taninos electrizantes y largo y rico final. Aún fresco, a pesar de tener casi 6 años.

93,5 / $$$$$
O. Fournier Malbec 2008. O. Fournier. Mendoza. Valle de Uco

VM: Fruta roja y negra maduras, especias dulces y notas tostadas. En boca es amplio, voluptuoso, de acidez fresca con taninos firmes. Hay estructura y sabores sostenidos

AG: Intenso y profundo, jugoso, concentrado y de paladar pleno. Decantar 30 minutos antes.

93,5 / $$$$$
Octava Superior 2011. Abremundos. Mendoza. Valle de Uco

VM: Fruta negra madura, notas mentoladas, regaliz, hierbas secas y grafito. Un vino de impacto, amplio, de taninos firmes. Es un blend complejo y profundo.

AG: Con estructura, compacto. Bien armado y bien combinadas las variedades, rico y con tensión.

93,5 / $$$$
Miguel Escorihuela Gascón Pequeñas Producciones Syrah 2013. Escorihuela Gascón. Mendoza. Valle de Uco

VM: De aromas especiados, balsámicos, con fruta negra y leves notas de humo. En boca es compacto, de acidez fresca, con taninos firmes y final jugoso. Un Syrah que ya es un clásico.

AG: Fresco, rico, con buen peso en boca. Especiado y jugoso, floral. Buena tensión y largo final. De los pocos Syrah en Argentina que dan que hablar.

93,5 / $$$$$
Buscado Vivo o Muerto El Limite Malbec 2014. Bodega Buscado Vivo o Muerto. Mendoza. Valle de Uco

VM: Proveniente de suelo calcáreo volcánico, Las Pareditas es una co-fermentación de Malbec, Tempranillo y Syrah. Fruta negra madura y notas de regaliz, pimienta y tabaco. Texturado y persistente. Trasvasar.

AG: Puro, limpio, pleno, con taninos agarrados. Llena la boca, amplio y goloso, compacto.

93,5 / $$$

Tomero Reserva Malbec 2015.
Vistalba. Mendoza. Valle de Uco

VM: Una de las líneas de Bodega Vistalba es este Malbec directo, puro, de nariz fresca. Súper jugoso, con acidez refrescante, taninos compactos y cuerpo medio/alto.

AG: Rico, de cuerpo medio, buena pureza frutal, textura suave en boca y taninos filosos. Un vino vertical y rico para beber con la perfecta entraña de Don Julio.

93,5 / $$$$

Rutini Colección Merlot 2013.
Rutini Wines. Mendoza. Valle de Uco

VM: Perfume de fruta de baya, moras, leves notas tostadas y especias dulces. Es jugoso, texturado, de taninos finos y súper fresco. Un Merlot que ya es un clásico.

AG: De los más sólidos de la línea Rutini, el Merlot es limpio, puro, rico. Con fruta fresca y buen nervio, taninos texturosos y final rico y largo.

93,5 / $$$$

Rutini Colección Cabernet Franc 2013.
Rutini Wines. Mendoza. Valle de Uco

VM: Vino de impacto, sabroso, texturrado y de acidez fresca. Es floral, especiado y aterciopelado. Final elegante. Trasvasar.

AG: Buena tipicidad de Cabernet Franc. Rico, equilibrado y con tensión. Hierbas y frutos negros. Taninos firmes y buena textura en boca, final largo.

 93 / $$

Montesco Parral 2015. Passionate Wines. Mendoza. Valle de Uco

VM: Ciruelas y moras maduras, té negro, notas herbales, especias dulces y viruta de lápiz. Sabroso, franco, de taninos firmes y persistente.

Corte de Malbec, Cabernet Sauvignon y Bonarda de parrales.

AG: Rico blend con el sello Michelini, bien integrado, jugoso, concentrado y con fresco y rico final de especias.

93 / $$$$

Obstinado Pinot Noir 2014. Morelli Vino de Cava. Mendoza. Valle de Uco

VM: Herbal, sostenido por una gran expresión de fruta roja fresca. Es fino, de acidez refrescante y filoso. Seco y sutil. Primera añada de este Pinot que nace en viñedos ubicados en Gualtallary y Los Arboles. Ideal trasvasar.

AG: Rico, filoso como una cuchilla. Un vino delgado y vertical, herbal y jugoso. ¡Grata sorpresa!

93 / $$$$$

Salentein Primus Cabernet Sauvignon 2013. Salentein. Mendoza.
Valle de Uco

VM: Fruta negra madura como cassis y ciruela, tabaco y trazos de su crianza en barrica. Es envolvente, con taninos firmes y aterciopelado.

AG: Buena expresión y caracterización del lugar, rico y balanceado, jugoso. Notas de especias, hierbas frescas y pimienta, toque floral, amplio y con taninos tersos. Buena textura.

93 / $$$

Tapiz Selección de Barricas Reserve 2012.
Tapiz. Mendoza. Valle de Uco

VM: De nariz delicada, mucha fruta y hierbas bien presentes. El aporte de su paso por roble está integrado. Es mineral, de acidez fresca, y taninos firmes.

AG: Textura de tiza, filoso y con taninos vibrantes, agarrado y con buena acidez. Concentrado y austero, pero rendidor.

93 / $$$$$
Las Notas de Jean Claude 2012. Tapiz. Mendoza. Valle de Uco

VM: Jean Claude Berrouet tiene un vino argentino. Un corte complejo y elegante que ofrece cassis, hoja de tomate, pimiento rojo, regaliz y madera en armonía. Un vino estructurado y mineral con final elegante. 91 % Merlot, Cabernet Franc, Petit Verdot y Cabernet Sauvignon de un viñedo único de San Pablo.

AG: Agradable en nariz, notas vegetales y de especias. Jugoso, con taninos compactos y final largo y preciso.

92,5 / $$$$
Altos Las Hormigas Reserve Malbec 2014. Altos Las Hormigas. Mendoza. Valle de Uco

VM: Este Malbec de pura cepa proviene de suelos de Vista Flores, Gualtallary y Altamira. Predominan la fruta roja y los pétalos de rosas y violetas. Es fresco, de acidez filosa, levemente salino y con taninos carnosos.

AG: Notas de hierbas frescas, textura de tiza, buena acidez y tensión. Un vino vertical y pulido, rico y directo.

92 / $$$
Kaiken Ultra Malbec 2015. Kaiken Wines. Mendoza. Valle de Uco

VM: Un blend de Malbec de Vista Flores, Gualtallary y Altamira. Expresa fruta negra madura, flores y notas de grafito. Es intenso, corpulento y de taninos firmes. Le sentará bien un tiempo en botella.

AG: Joven pero con buena fruta negra, pimienta y algo floral. Compacto, buena textura y final largo. Decantar,. Buen potencial de guarda. Con la codorniz de Las Pizarras.

92,5 / $$$$
Corazón del Sol Cabernet – Cabernet 2014. Corazón del Sol. Mendoza.

VM: Intenso, con notas de pimienta rosa, cerezas negras, moras y viruta de lápiz. Texturado, de taninos finos y madera integrada. 50 % Cabernet Sauvignon y 50 % Cabernet Franc.

AG: Rico blend concentrado, bien la combinación de Cabernets. Final de vainilla y especias.

92,5 / $$$$
Encuentro Barrel Blend 2012. Rutini Wines. Mendoza. Valle de Uco

VM: Corte de 5 cepas provenientes de Valle de Uco. Es profundo, con notas ahumadas y de fruta negra. Potente y compacto. Se seguirá desarrollando en botella.

AG: Concentrado, con fuerza pero bien pulido. Rica y pura fruta, con final especiado. Decantar.

TOP 20 — 92,5 / $$$
Eggo Bonaparte Bonarda 2016. Zorzal Wines. Mendoza. Valle de Uco

VM: Puro y fragante. Fruta roja fresca y mix de hierbas. De acidez filosa y textura de tiza. Es vertical y delicado. Sin madera.

AG: Bonarda de Sed. Perfumado, herbal, floral y fresco en nariz. Con tensión y frescura en boca, jugoso y final fresco. Mucha fruta. Beber joven.

92 / $$$
Don Nicanor Barrel Select Malbec 2014. Nieto Senetiner. Mendoza. Valle de Uco

VM: Delicado Malbec en el que se expresan las frutas negras, las especias, el chocolate amargo. Es profundo, equilibrado, de acidez moderada y madera elegante.

AG: Redondo y fluido. Notas especiadas y de humo, toque mineral. Final pulido y rico.

92 / $$$

Mariflor Pinot Noir 2012. Rolland Wines. Mendoza. Valle de Uco

VM: Siempre muy bien este Pinot. Fruta pura, notas de bosque y especias frescas. Súper jugoso

AG: Fresco, bien sostenido en el tiempo, con buena textura, taninos tersos y rico especiado, con fruta y notas ahumadas. French style.

92 / $$

Salentein Reserve Pinot Noir 2015. Salentein. Mendoza. Valle de Uco

VM: Siempre muy bien este Pinot de gran relación precio/calidad. Fruta pura, notas de bosque y especias frescas. Súper jugoso y fresco.

AG: Siempre presente entre los best buy de Pinot argentinos. Muy rico, jugoso, mucha fruta roja y con tensión final. Sedoso y con volumen.

92 / $$$

Polígonos del Valle de Uco Tupungato Alto Malbec 2015. Zuccardi Valle de Uco. Mendoza. Valle de Uco

VM: Punzante y picante, con capas de texturas, pureza de fruta, hierbas y especias. Uno de los especiales y francos vinos de esta línea de Zuccardi Wines. Este proviene de Tupungato Alto.

AG: Frutos negros especias y mucha estructura. Un vino para guardar y decantar. Masticable, rico y de final especiado.

91,5 / $$

Octava Bassa Malbec 2014. Abremundos. Mendoza. Valle de Uco

91,5 / $$$

Asa Nisi Masa Bonarda 2017. Mundo Revés. Mendoza. Valle de Uco

91,5 / $$$

Gaia Red Blend 2015. Domaine Bousquet. Mendoza. Valle de Uco

91,5 / $$$

Benito A. Gran Reserva 2013. Palo Alto. Mendoza. Valle de Uco

91,5 / $$$

Rutini Colección Cabernet - Malbec 2014. Rutini Wines. Mendoza. Valle de Uco

91,5 / $$

TintoNegro Uco Valley Cabernet Franc 2016. TintoNegro. Mendoza. Valle de Uco

91 / $$$$

Antonio Mas Historia Cabernet Sauvignon 2011. Sumun. Mendoza. Valle de Uco

91 / $$

Chakana Estate Selection Red Blend 2015. Chakana Andean Wines. Mendoza. Valle de Uco

91 / $$$

Sophenia Reserve Syrah 2015. Finca Sophenia. Mendoza. Valle de Uco

91 / $$$

Sophenia Reserve Cabernet Sauvignon 2015. Finca Sophenia. Mendoza. Valle de Uco

91 / $$$$
Val de Flores Malbec 2011.
Rolland Wines. Mendoza. Valle de Uco

91 / $$
Salentein Reserve Malbec 2015.
Salentein. Mendoza.
Valle de Uco

91 / $$$$
Salentein Numina Spirit Vineyard
Gran Corte 2014.
Mendoza. Valle de Uco

91 / $$
BenMarco Cabernet Sauvignon
2014. Susana Balbo Wines.
Mendoza. Valle de Uco

91 / $$$$
Black Tears Malbec 2012.
Tapiz. Mendoza. Valle de Uco

90,5 / $$
Estate Reserve Malbec 2015.
Alba en los Andes. Mendoza.
Valle de Uco

90,5 / $$$
D.V. Catena Pinot - Pinot 2014.
Catena Zapata. Mendoza. Valle de Uco

90,5 / $$$
Gran Delirio 2013. Familia Scotti.
Mendoza. Valle de Uco

90,5 / $$$$
Celedonio Gran Cabernet Sauvignon
2013. Margot. Mendoza. Tupungato

90,5 / $$
Petite Fleur 2014. Monteviejo.
Mendoza. Valle de Uco

90,5 / $$$
Corte San Pablo (Malbec, Merlot,
Cabernet Sauvignon) 2015. Niven Wines.
Mendoza. Valle de Uco

90,5 / $$
Rompe Corazones 2015. Niven Wines.
Mendoza. Valle de Uco

90,5 / $$
Paso a Paso Vino de Garage Bonarda
2016. Paso a Paso Wines. Mendoza.
Valle de Uco

90,5 / $$%
Los Abandonados Cabernet Sauvignon
2016. Paso a Paso Wines. Mendoza.
Valle de Uco

90,5 / $$
Trumpeter Reserve Blend 2015.
Rutini Wines. Mendoza.
Valle de Uco

90,5 / $$
Gran Alambrado Cosecha Manual 2015.
Santa Julia. Mendoza.
Valle de Uco

90 / $$
Antigal Uno Malbec 2014. Antigal.
Mendoza. Valle de Uco

90 / $$
Mariflor Malbec 2014. Rolland Wines.
Mendoza. Valle de Uco

90 / $$
Encuentro Malbec 2014. Rutini Wines
Mendoza. Valle de Uco

90 / $$
Sposato Reserve Malbec 2014.
Sposato Family Vineyards. Mendoza.
Valle de Uco

90 / $$
Antonio Mas Núcleo Blend 2014.
Sumun. Mendoza. Valle de Uco

90 / $$$
Cadus Appelation Tupungato
Cabernet Sauvignon 2015.
Cadus Wines. Mendoza. Valle de Uco

90 / $$$$
Luigi Bosca Terroir Los Miradores
Malbec 2014. Luigi Bosca. Mendoza.
Valle de Uco

90 / $$$
Salentein Numina Spirit Vineyard
Cabernet Franc 2015. Mendoza.
Valle de Uco

89,5 / $
Serbal Atamisque Cabernet
Franc 2017. Atamisque. Mendoza.
Valle de Uco. Tupungato

89,5 / $$
Serbal Assemblage 2016.
Atamisque. Mendoza. Valle de Uco

89,5 / $$$
Salentein Numina Spirit Vineyard
Malbec 2015. Mendoza. Valle de Uco

89,5 / $$$
Saint Felicien Tributo a Raúl Soldi
Pinot Noir 2013. Catena Zapata.
Mendoza. Valle de Uco

89,5 / $$$
Mariflor Merlot 2012.
Rolland Wines. Mendoza.
Valle de Uco

89,5 / $$$$$
Antología XXXVI Cabernet Sauvignon
2010. Rutini. Mendoza. Valle de Uco

89 / $$
Terroir Valle de Uco Malbec 2015.
Altos Las Hormigas. Mendoza.
Valle de Uco

89 / $$
Altos Las Hormigas Terroir
Valle de Uco Malbec 2015. Altos Las
Hormigas. Mendoza. Valle de Uco

89 / $$
Maula Oak Malbec 2015.
Margot. Mendoza. Valle de Uco

88,5 / $$
Maula Oak Pinot Noir 2015.
Margot. Mendoza. Valle de Uco

88,5 / $$
Tomero Reserva Petit Verdot 2015.
Vistalba. Mendoza. Valle de Uco

88,5 / $$$
Trivento Golden Reserve Black Series
Cabernet Franc 2014. Trivento.
Mendoza. Valle de Uco

88 / $$
**Laureano Gómez Terroir Merlot 2016.
Laureano Gómez. Mendoza.
Valle de Uco**

88 / $$$
**Maula Selected Barrels Malbec
2013. Margot. Mendoza. Valle de Uco**

88 / $$
**Palo Alto Reserva Cabernet Sauvignon
2013. Palo Alto. Mendoza. Valle de Uco**

88 / $$
**Paso a Paso Vino de Garage.
Malbec 15-16. Paso a Paso Wines.
Mendoza. Valle de Uco**

88 / $$
**Gouguenheim Reserva Malbec 2015.
Valle Escondido. Mendoza.
Valle de Uco**

Blancos

96 / $$$$
**Altar Uco Edad Media Blanco 2015.
Altar Uco. Mendoza. Valle de Uco**
VM: Nariz sutil, delicada y compleja. Se siente la cera de abeja, duraznos secos, tilo, piel de cítricos y hierbas. Es estructurado, vertical, mineral, seco y profundo. Blend de Sauvignon Blanc, Chenin Blanc y Chardonnay.
AG: ¡De lo mejor del año en blancos! Muy interesante mix herbal, lima y pera. Gran acidez, voluptuoso y elegante al mismo tiempo. Muy rico y largo final en boca. Un blanco serio, con elegancia y vibrante a la vez. Juampi Michelini está jugando en las grandes ligas.

94 / $$$$$
**Salentein Single Vineyard Finca San Pablo Sauvignon Blanc 2015.
Salentein. Mendoza. Valle de Uco.**
VM: Primera cosecha de este gran Sauvignon Blanc de San Pablo. Es complejo y expone cítricos, hierbas y especias. Tiene volumen medio/alto, untuosidad y mucha presencia en boca. Fresco y súper persistente. Para beber ahora y, por qué no, para guardar.
AG: Complejo, elegante, mineral. Tiene un fresco toque herbal y mucha pureza frutal. Buena textura sedosa, con todo en su lugar, bien integrado. Especiado, largo y rico final. Una joya ahora y por varios años 2018-2028. Atreverse con el lenguado con puré de apinabo de Aramburu Restó.

TOP 20

94 / $$$$
Blanco de la Casa 2016. Matías Riccitelli. Mendoza. Valle de Uco
VM: Lima, manzanas verdes y rojas, frutas de hueso y hierbas frescas. Seco, sabroso, complejo, estructurado y de acidez filosa. 40 % Semillón, 40 % Sauvignon Blanc y 20 % Chardonnay. Sin madera
AG: Elegante, fino, herbal, lima, fruta blanca y especias, seco, fluido y con buena acidez. Un vino serio.

93,5 / $$$$$
Rutini Gran Apartado Chardonnay 2015. Rutini Wines. Mendoza. Valle de Uco. Tupungato
VM: Durazno blanco, pera madura, notas de miel, cítricas y tostadas. Crianza en barrica de roble francés que le aporta untuosidad y elegancia.
AG: Chardonnay austero y elegante, con peso en boca, rico, fluido y fresco. Gran acidez, bien balanceado en sus aristas más que interesantes.

93 / $$$
Polígonos del Valle de Uco San Pablo Verdejo 2016. Zuccardi Valle de Uco. Mendoza. Valle de Uco
VM: Se presenta algo austero, herbáceo, con piel de cítricos, lima y piedra mojada. De acidez filosa, con hueso, estructura y final seco y mineral. Sin madera.
AG: Bienvenido un Verdejo de San Pablo. Fresco, de acidez punzante, notas de lima y especias, directo y preciso. Hay poco, cuidarlo.

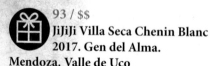

93 / $$
JiJiJi Villa Seca Chenin Blanc 2017. Gen del Alma. Mendoza. Valle de Uco
VM: Estructura, filo, pulpa y piel de cítricos y flor de tilo. Fino y persistente. Sin madera.
AG: Rico perfil de vino blanco. Lima, fruta blanca. Seco, fluido y con complejidad fácil. Se sostiene un tiempo.

93 / $$$
Sophenia Synthesis Sauvignon Blanc 2016. Finca Sophenia. Mendoza. Valle de Uco. Tupungato
VM: Este Sauvignon Blanc de Gualtallary siempre se destacó por su gran personalidad. Quizá sea la cosecha que más me gusta. Es fino, elegante y balanceado, seco y con estructura. Su acidez es fresca, su alcohol es bajo, es mineral y persistente.
AG: Complejo, rico y joven aún, con buen peso, pide comida. Tiene buen graso en boca y la acidez acompaña. Va a sostenerse unos años: 2018-2024. Probar con callos a la madrileña del Casal de Cataluña.

93 / $$$
Zuccardi Q Chardonnay 2015. Zuccardi Valle de Uco. Mendoza. Valle de Uco. Tupungato
VM: Fruta de carozo fresca, piña, peras jugosas y flores blancas. Acidez súper fresca, sensación mineral, volumen medio, jugosidad y balance.
AG: Buen Chardonnay con filo preciso y sin maquillaje, final rico y mineral.

92 / $$$
Zorzal Eggo Blanc de Cal Sauvignon Blanc 2016. Zorzal Wines. Mendoza. Valle de Uco
VM: Despliega notas de pomelo, lima, guayaba, hierbas frescas y piedra mojada. Su elaboración

en huevos de cemento y crianza sobre borras resultan en un vino de volumen medio, acidez refrescante y mineral.

AG: Expresión de Sauvignon salvaje, herbal, fresco y con notas cítricas. Lindo peso en boca y algo tropical. Es rico y para público diverso. Va.

92 / $$$
Livverá Malvasía 2016. Escala Humana Wines. Mendoza. Valle de Uco. Tupungato

VM: Bouquet de flores, especias, piel de naranja, manzana verde y roja. Es seco, de acidez súper fresca, tiene hueso, estructura y mineralidad. Final sostenido. ¡Un vino muy rico y especial!

AG: Floral, seco, color dorado y buen paso por boca. ¡Bienvenida novedad!

91,5 / $$
Blanchard & Lurton Les Fous Corte Bordelés 2017. Blanchard & Lurton Mendoza. Valle de Uco

91 / $$$
The Apple Doesn't Fall Far From the Tree Pinot Gris 2017. Matías Riccitelli. Mendoza. Valle de Uco

91 / $$
Lágrima 2015. Bressia. Mendoza. Valle de Uco. Tupungato

91 / $$
Refrán Blanc de Noir 2016. Morelli Vino de Cava. Mendoza. Valle de Uco

91 / $$
Norton Norton Reserva Chardonnay 2015. Norton. Mendoza. Valle de Uco

91 / $$
Tapiz Alta Collection Sauvignon Blanc 2017. Tapiz. Mendoza. Valle de Uco

90 / $$
Salentein Reserve Chardonnay 2015. Salentein. Mendoza. Valle de Uco

90 / $$
Trivento Golden Reserve Chardonnay 2016. Trivento. Mendoza. Valle de Uco. Tupungato

89,5 / $$
Cicchitti Chardonnay 2016. Cicchitti. Mendoza. Valle de Uco

89,5 / $$
Nieto Senetiner Semillón 2016. Nieto Senetiner. Mendoza. Valle de Uco

89 / $$
Petite Fleur Torrontés 2015. Monteviejo. Mendoza. Valle de Uco

89 / $$
Trumpeter Clásico Chardonnay 2016. Rutini Wines. Mendoza. Valle de Uco

88 / $$
Doña Paula Estate Sauvignon Blanc 2016. Doña Paula Mendoza. Valle de Uco. Tupungato

88 / $$

Andeluna Altitud Chardonnay 2016. Andeluna Mendoza. Valle de Uco. Tupungato.

88 / $$$

Celedonio Gran Chardonnay 2013. Margot. Mendoza. Valle de Uco

Espumantes

93 / $$$$

Rutini Brut Nature 2012. Rutini Wines. Mendoza. Valle de Uco

VM: Dorado vibrante, especias, fruta blanca de carozo, manzana, almendra y piel de quinoto. Acidez fresca, con burbuja delicada y persistente. Método tradicional.

AG: Nunca defrauda, el Rutini espumante va a seguro. Es complejo, licoroso, con especias y hierbas. Mantiene frescura y acidez final.

93 / $$$

Baron B Cuvée Millésimée Brut Nature 2014. Chandon. Mendoza. Valle de Uco

VM: Manzana, frambuesa fresca, piel de naranja y pasto fresco. Su burbuja es cremosa, tiene texturas, acidez fresca, cierta salinidad y mineralidad. Final elegante.

AG: Baron B nunca falla en ninguna de sus gamas, y el Millésimée es fresco, con fina burbuja y buena acidez. Fruta roja y blanca, gran equilibrio y textura, nota mineral. Lo elijo para festejar sin problemas.

92 / $$$

Alyda Van Salentein Cuvée Prestige Brut Nature. Salentein. Mendoza. Valle de Uco

VM: Fragante, fruta roja fresca, piel de cítricos y flores blancas. Acidez fresca y burbuja delicada.

AG: Un espumante rico y simple, perfumado con fruta blanca. Buena acidez y balance final.

92 / $$$

Alma 4 Pinot Rosé 2014. Alma 4 Mendoza. Valle de Uco

VM: Fruta roja fresca, rosas, notas de levadura y especias. Seco, de acidez súper fresca, burbuja delicada y persistente. Método tradicional.

AG: Alma 4 empezó como un juego de amigos y hoy por hoy es sinónimo de calidad en espumantes. Tiene fina burbuja, rica fruta roja fresca y buena acidez.

91,5 / $$$$

Baron B Cuvée Millésimée Brut Rossé 2014. Chandon. Mendoza. Valle de Uco

91,5 / $$

Baron B Brut Nature Chandon Chardonnay, Pinot Noir. Mendoza. Valle de Uco

91,5 / $$

Alma 4 Pinot Chardonnay 2013. Alma 4. Mendoza. Valle de Uco

91 / $$

Brut Nature Rosé. Chandon. Mendoza. Valle de Uco

91 / $$$
Baron B Extra Brut Cuvée Especial.
Chandon. Mendoza. Valle de Uco

90,5 / $$$
Progenie II Extra Brut 2014. Vistalba.
Mendoza. Valle de Uco

90 / $$
Philippe Caraguel Extra Brut Rosé
Philippe Caraguel. Mendoza.
Valle de Uco

90 / $$
Salentein Brut Nature Cuvée
Exceptionelle. Salentein. Mendoza.
Valle de Uco

89,5 / $$
Chandon Extra Brut.
Chandon. Mendoza. Valle de Uco

89,5 / $$
Petit Trez Extra Brut. Deumayén
Wines. Mendoza.
Valle de Uco

89,5 / $$
Efigenia Extra Brut 2013.
Palo Alto. Mendoza. Valle de Uco

89,5 / $$
Brut Rosé Cuvée Exceptionelle Salentein.
Mendoza. Valle de Uco

88,5 / $$
Philippe Caraguel Extra Brut. Philippe
Caraguel. Mendoza. Valle de Uco

88 / $$
Soigné Método Tradicional Brut Nature.
Cicchitti. Mendoza. Valle deUco

Rosados y Dulces

91,5 / $$$$
Rutini Vino Encabezado Malbec 2013.
Rutini Wines. Mendoza.
Valle de Uco

90 / $$$
Alma Negra Domaine Orange. Ernesto
Catena Vineyards.
Mendoza. Valle de Uco

88,5 / $$
Trumpeter Reserve Rosé de Malbec
2016. Rutini Wines. Mendoza.
Valle de Uco

Paraje Altamira

Enormes piedras blancas

Por Juanfa Suarez / Winemaker. Propietario de Finca Suarez.

Paraje Altamira está ubicado en el Departamento de San Carlos, al sur del Valle de Uco, en la provincia de Mendoza. Rozando la cordillera, es la parte más alta del distrito de La Consulta. La IG (Indicación Geográfica) está delimitada por el cono aluvial del río Tunuyán y tiene una superficie de 7.500 hectáreas, de las cuales solo 2.800 están plantadas con viñedos. Las posibilidades de crecimiento son limitadas, pues no hay más disponibilidad de agua para riego.

El clima es continental templado, con un promedio anual de precipitaciones de 230 mm. Esto produce condiciones muy favorables para la sanidad en los viñedos. Mientras en la mayoría de las regiones del mundo se realizan como mínimo diez curaciones al año, nosotros hacemos dos o tres.

La altitud promedio de 1.100 msnm hace que tengamos una gran amplitud térmica entre el día y la noche. Esta diferencia resulta ideal para lograr una buena maduración sin perder acidez y permite proyectar vinos de guarda.

Los suelos son los que definen la identidad de este terruño. De origen aluvial, están compuestos por rocas de granito que van de los 10 cm a los 2 metros de diámetro. Mirar a la montaña de frente e imaginar esas piedras de 2 metros rodando por la pendiente, indefectiblemente nos recuerda lo pequeños que somos frente a la naturaleza y el tiempo.

Estas piedras, redondeadas por la erosión, se ven blancas porque están cubiertas de sedimento calcáreo. Si bien los suelos en toda Altamira tienen el mismo origen geológico, existe una variabilidad importante en el estrato superior. Las rocas pueden encontrarse a nivel superficial, entre uno y dos metros de profundidad. Como consecuencia, podemos encontrar distintos microterruños en una misma parcela. Las distintas profundidades de suelo afectan de gran manera al desarrollo de las plantas, la exploración radicular, el vigor, el momento de cosecha y, finalmente, el vino. Existen distintas teorías acerca del origen de este material calcáreo. Lo cierto es que su presencia hace que los vinos tengan un carácter distintivo.

PRODUCTORES INTERESANTES:
Zuccardi, Alejandro Sejanovich con Zaha
y Tinto negro, la Rural, Finca Suarez,
Finca Beth, Susana Balbo, Chakana.

Nuestra variedad principal es el Malbec, pero también se dan muy bien el Cabernet Franc, Cabernet Sauvignon y, en blancas, Semillón y Chardonnay. Los vinos tienen como principales características la frescura y la textura. Pueden tener una nariz tímida y delicada, con notas florales y hierbas de montaña.

Altamira es uno de los lugares con más tradición y cultura vitivinícola del Valle de Uco. La superficie está repartida en fincas chicas, en manos de muchos productores, algunos de ellos pequeños y con varias generaciones en el lugar. Mi familia, por ejemplo, lleva casi 100 años en Altamira. Esta es una gran diferencia en relación a los otros lugares altos del Valle de Uco, que cuentan con viñedos jóvenes de grandes extensiones y pocos dueños, en su mayoría grandes empresas. Históricamente, fue una zona "exportadora" de uvas que se usaban para mejorar o cortar vinos de otras regiones de Mendoza.

Los primeros vinos del lugar empezaron a aparecer alrededor del año 2000, bajo el nombre de San Carlos o La Consulta. Recién a partir de 2013, con el reconocimiento de la Indicación Geográfica Paraje Altamira por parte del INV (Instituto Nacional de Vitivinicultura), se empezó a usar el nombre en las etiquetas.

Paraje Altamira es la primera IG de Argentina definida completamente por criterios de clima, geología y suelo. La delimitación de IG con fundamento técnico es algo muy común en el mundo, pero nuevo para nuestro país. Creo que es muy importante seguir avanzando con los estudios y el entendimiento de las distintas zonas. En la diversidad está el futuro de nuestra viticultura.

Estamos en un momento clave, cada vez son más los que estudian a fondo sus fincas, haciendo trabajos y cosechas diferenciadas por parcelas o tipos de suelo. Hay mucha gente comprometida en hacer vinos más precisos, que hablen de su origen. Estamos dando los primeros pasos en el camino de encontrar la identidad de nuestro terruño. Este es uno de los objetivos principales de PIPA, Productores Independientes de Paraje Altamira. Todos los integrantes de esta asociación somos vecinos, tenemos finca y hacemos vino con uva propia. Cada uno con su estilo e interpretación del lugar, pero todos con el mismo respeto y sentido de pertenencia.

Paraje Altamira es un lugar único. La cordillera está siempre presente observándolo todo, haciendo de cada atardecer y cada amanecer un momento mágico. ¡Los esperamos!

Tintos

99,5 / $$$$$
Zuccardi Finca Piedra Infinita Paraje Altamira Malbec 2014.
Zuccardi Valle de Uco. Mendoza. Altamira

VM: Poderoso, pleno de capas y matices. Es fino, fresco y súper elegante. Pétalos de rosas rojas, frutillas secas, grafito y textura de tiza. De larga persistencia. Emociona.

AG: 100 puntos el año pasado y rozándolos este año, Piedra Infinita es un cúmulo de sensaciones y emociones al probarlo. Extrema complejidad y elegancia, pureza y fineza, la fruta es impactante y la paleta de sabores muy amplia. En boca es pleno, jugoso, rico y con tensión. Nos sacamos el sombrero y lo disfrutaremos por mucho tiempo.

98 / $$$$$
Finca Remota Malbec 2014.
Mendel Wines. Mendoza. Valle de Uco. Altamira

VM: Su textura es sedosa y su estructura eleva y sostiene sabores. La crianza en madera le aporta armonía y complejidad. Rosas, cedro y acidez fresca. Es fino y mineral. Final elegante. Trasvasar.

AG: Tuve el honor de probar el primer Finca Remota que Roberto de la Mota trajo a buenos Aires hace ya varios años. Siempre fue un gran vino, pero creo que este 2014 tocó hasta ahora su punto máximo. Gran paleta de aromas y sabores, mineral, frescas hierbas, hoja secas, frutos negros y flores. En boca es vibrante y concentrado, taninos firmes y dulces muy rico para beber y con gran equilibrio. Al podio de los grandes vinos del año.

ALTAMIRA

Altamira es, hoy por hoy, el lugar en donde todos quieren estar, elaborar y hacer vinos de alta gama. Vinos de textura, florales, con reminiscencia de suelos calcáreos, muchas veces delicados y con amplia paleta de aromas y sabores. Merecido prestigio. Difícil que te equivoques comprando un vino de Altamira.
AG.

ALTAMIRA:
LA PUREZA, LA FLOR,
Y LA FINEZA.
VM.

97 / $$$$$
Zuccardi Aluvional Paraje Altamira Malbec 2014.
Zuccardi Valle de Uco. Mendoza. Valle de Uco. Altamira

VM: Filo y frescura, peso y mineralidad. Flores, hojas secas, fruta roja, textura, tiza y especias frescas. Pureza y madera sutil. Para beber o guardar. Seguirá desarrollando matices y complejidad en botella.

AG: Gran complejidad, con tensión. No va por el lado de la súper expresión, es austero y elegante, con hermosa textura en boca, taninos tersos y gran pureza final. Me encanta el estilo.

96 / $$$$$
Single Vineyard Altamira Malbec 2012. Rutini Wines.
Mendoza. Valle de Uco. Altamira

VM: Vivaz cosecha 2012 con una frescura de fruta impecable. Predominantemente floral, es complejo y elegante. De acidez refrescante, filo y estructura media. Su crianza en roble lo completa armoniosamente. Final persistente.

AG: Gran vino, textura de tiza, taninos vibrantes, jugoso, tenaz y preciso. Las sensaciones se van sumando al final con gran balance. Clásico con ojo de bife de Gardiner.

96 / $$$$$
Single Vineyard Altamira Cabernet Sauvignon 2012.
Rutini Wines. Mendoza. Valle de Uco. Altamira

VM: Gran Cabernet con estructura y balance. Fruta negra, hierbas secas, lavanda, laurel y madera en armonía. Es elegante, de textura mineral, complejo, de columna firme y sabor persistente. Beber o guardar.

AG: Cuando Rutini sale con cosas nuevas, hay que estar atento. Este súper Cabernet tiene gran textura de tiza y fresca acidez,. Es fluido, con notas de hierbas frescas y fruta pura, rico e integrado, con estilo. Jugoso y final con tensión y muy largo. Una bodega clásica en un estilo moderno.

96 / $$$$

Salentein Single Vineyard Finca El Tomillo Malbec 2014.
Salentein. Mendoza. Valle de Uco. Paraje Altamira

VM: José Galante es el maestro detrás de este vino que se presenta austero pero que no tarda en desplegar matices de fruta negra, especias, hierbas, flores, ahumados y la madera en equilibrio. Es sedoso, elegante y fresco. Largo.

AG: Con las caracterisiticas de los grandes vinos, buena concentración, muy balanceado, rico, puro. Taninos vibrantes y buena acidez. Decantar una hora antes para acompañarlo con el cabrito de Chila.

TOP 20 **95 / $$$**

Susana Balbo Signature Malbec 2014.
Susana Balbo Wines. Mendoza. Valle de Uco. Altamira

VM: Demuestra complejidad aromática, con aromas frescos de pimineta rosa, hierbas y moras. Contiene un pequeño porcentaje de Petit Verdot. Su textura es aterciopelada. Tiene tensión y agarre. Es mineral y persistente.

AG: No pasa desapercibido. Hay vino, piedra, mineral, hierbas y pura fruta roja fresca. Tensión y agarre, rico y jugoso. Se va mostrando y con cada trago mejora. Cordero braseado de Tomo 1.

95 / $$$$

Zuccardi Concreto Paraje Altamira Malbec 2015.
Zuccardi Valle de Uco. Mendoza. Valle de Uco. Altamira

VM: Explosión de fruta y frescura. Un Malbec, muy Malbec, que entra como fruta jugosa y se expande en boca. Taninos con agarre y cuerpo intenso. Tiene capas y textura calcárea. Nada de madera, solo pasa por concreto.

AG: Otro gran vino de nuestro mejor Winemaker 2017. Hay tiza, piedra y pólvora. Expresivo y seductor en nariz, floral fresco y con tensión. Final largo con volumen. Aún joven, hay vino para rato. Agradece decantar y acompañar con el pollo de campo de El Mercado, en Faena Hotel.

TOP 20 **94,5 / $$$**

Ayni Malbec 2015. Chakana Andean Wines.
Mendoza. Valle de Uco. Altamira

VM: Malbec de pie franco y finca de manejo orgánico. Se perciben notas de ciruela negra y cassis con dejos terrosos. Es un vino que llena la boca, de acidez fresca y taninos carnosos. Es mineral y texturado. De gran equilibrio.

AG: Completo por donde se lo mire, de todo y todo en su lugar. Concentrado, compacto, gran expresión de fruta, fresco y especiado, con tensión. Para acompañar la polenta con carrillera de vaca de Cucina Paradiso.

94,5 / $$$

Polígonos del Valle de Uco Pasaje Altamira Malbec 2015. Zuccardi Valle de Uco. Mendoza. Valle de Uco. Altamira

VM: Seco y mineral. Su perfil de fruta es muy fresco, su acidez es filosa, sus taninos crujientes y su final es calcáreo. Pureza y balance. ¡Un puro Altamira!

AG: Sebastián Zuccardi y su entendimiento de Altamira. Hay texturas, pureza y frescura en nariz y boca. Rico, filoso y con final largo y anguloso.

94,5 / $$$

Finca Suarez Malbec 2015. Finca Suarez. Mendoza. Valle de Uco. Altamira

VM: Agricultura orgánica para este Malbec puro de fruta roja fresca y violetas. En boca tiene tensión y su acidez es muy fresca y sostenida. Sabroso, con textura de tiza y ¡muy bebible!

AG: Rico, con diferentes texturas que van asomando. Buena concentración, pureza y delicado al mismo tiempo. Final rico y largo. Gran vino, mejor precio. Con paleta de cordero de Sagardi.

94,5 / $$$$

Teho El Corte 2014. Teho. Mendoza. Valle de Uco. Altamira

VM: Herbal, de fruta súper fresca y floral. En boca está todo integrado, su textura es sedosa y su acidez es muy fresca. Redondo y armonioso. Final elegante. Corte de Malbec y Cabernet Sauvignon.

AG: Hay una buena complejidad. El Cabernet aporta taninos firmes, hierbas frescas y especias. Con gran textura, es sedoso y jugoso. Buen balance. Con el cochinillo de Gioia.

94 / $$$$

Finca Suarez Gran Malbec 2014. Finca Suarez. Mendoza. Valle de Uco. Altamira

VM: Aromas de moras maduras, violetas, piel de naranja y especias dulces. En boca se presenta franco, de acidez media. Su crianza en foudres le otorga un final pulido y redondo. Persistente.

AG: Finca Suarez no desentona en ninguna de sus líneas, el gran Malbec está rico, balanceado con gran frescura y tensión, buena textura y final justo y floral. Para acompañar el ojo de bife de El Mercado, en Faena.

94 / $$$$

Zaha Malbec 2014. Teho. Mendoza. Valle de Uco. Altamira

VM: Malbec directo, puro, de nariz fresca. Súper jugoso, con acidez refrescante, taninos compactos y cuerpo medio/alto.

AG: Rico, mineral textura de tiza, buena tensión. Final compacto granuloso y de frutos rojos. Genial con el lomo de cordero de Rëd Resto & Lounge.

94 / $$$

TintoNegro Finca La Escuela Malbec 2014. TintoNegro. Mendoza. Valle de Uco. Altamira

VM: Rica expresión de Malbec, mix de hierbas, notas de pimienta y fruta roja fresca. Es delicado, fluido y con acidez refrescante.

AG: Un vino con texturas, capas de sabores, fruta pura y fresca, tiza, mineral y floral. Gran vino de precio acomodado. Me le atrevo a la codorniz rellena de Fleur de Sel.

93,5 / $$

Traslapiedra 2016. Mendoza. Valle de Uco. Altamira

VM: Jugoso exponente de Traslapiedra donde cada variedad se brinda francamente. En boca es expresivo y explosivo. Con sostén mineral y acidez refrescante. Pide otro sorbo.

AG: En el Traslapiedra se siente la piedra de Altamira. Es jugoso, rico y fácil de tomar. Bien mineral. Ojo, difícilmente una botella alcance, vino que da sed.

93,5 / $$$

Finca La Igriega Blend 2015. Finca La Igriega. Mendoza. Valle de Uco. Altamira

VM: De nariz especiada con toques ahumados, este blend de 4 variedades de base Malbec es complejo, sedoso y muy equilibrado.

AG: Gran balance. Buen volumen en boca, con texturas y fresco. Fruta rica y pura, frescas especias y final largo de tiza y acidez que acompaña.

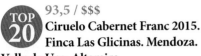

TOP 20

93,5 / $$$

Ciruelo Cabernet Franc 2015. Finca Las Glicinas. Mendoza. Valle de Uco. Altamira

VM: Una de las gratas sorpresas de las catas. Aromas de fruta negra y hierbas. La madera de roble brinda un aporte sutil e integrado. Es sabroso, fresco, con textura de tiza, y equilibrado. AG: Un Cabernet Franc rico y bien logrado. Especias y hierbas frescas con tensión. Jugoso y largo final.

93,5 / $$$

Zaha Cabernet Franc 2014. Teho. Mendoza. Valle de Uco. Altamira

VM: Hierbas frescas, frambuesa madura y especias. En boca es fresco, con textura de polvo y gran presencia. Final sabroso y sostenido. Uno de los Cabernet Franc que más destaca en Altamira. AG: Herbal, fresco en nariz, muy rico. Bien armado, con tensión, buena estructura, fruta fresca y gran textura.

93,5 / $$

Traslapiedra Malbec 2014. Traslapiedra. Mendoza. Valle de Uco. Altamira

VM: Vivacidad, fruta pura y pétalos de flores. De acidez fresca, es sedoso, rico y jugoso. Balance y final súper sabroso. Un proyecto de amigos que resultó en un vino delicioso. AG: Punzante, fresco mineral, fluido y con gran acidez. Textura de tiza y frutos rojos frescos. Final de especias largo.

93 / $$$

Rompecabezas Malbec 2015. Finca Beth. Mendoza. Valle de Uco. Altamira

VM: Proyecto que nace del sueño de 5 amigos en 2009. Es un Malbec de textura sedosa e impacto de fruta, notas florales y madera sutil. Cuerpo intenso y final persistente. AG: Malbec especiado, herbal. Con tensión y nervio. La fruta es fresca y bien marcada, textura sedosa, final largo y preciso. Con el cabrito confitado de Aldo's.

93 / $$$

2KM 2015. Finca Beth. Mendoza. Valle de Uco. Altamira

VM: Se desenvuelve con fruta madura, estructura firme, acidez fresca, agarre y textura mineral. Es una co-fermentación de 65 % Malbec y 35 % Cabernet Franc de Altamira, donde cada variedad deja su acento. Final elegante. AG: Interesante mix de especias y fruta fresca, herbal, jugoso y con tensión. Final de tiza y taninos aterciopelados, buena textura

93 / $$$$

La Igriega Superior Malbec 2014. Finca La Igriega. Mendoza. Valle de Uco. Altamira

VM: El tope de gama de Finca La Igriega se presenta delicado y floral. De frescura media, gran jugosidad y final sabroso. AG: Malbec de Altamira puro. Floral, fresco, con agarre, compacto y jugoso.

93 / $$$

Zaha El Corte 2014. Teho. Mendoza. Valle de Uco. Altamira

VM: Nariz fragante y seductora. Fruta roja y negra fresca, pimienta blanca, notas mentoladas y terrosas. Textura calcárea, acidez refrescante, cuerpo medio/alto y taninos pulidos. Final persistente. AG: Rico, fresco, con buena tensión y texturas. Complejo, con elegancia y cierta austeridad.

93 / $$$
Refrán Cabernet Franc 2015.
Morelli Vino de Cava. Mendoza.
Valle de Uco. Altamira

VM: Expresa fruta madura, hierbas, pimienta rosa y notas de grafito. En boca es fluido, jugoso, con taninos pulidos e integrados. Balanceado y sabroso. Morelli Vinos de Cava es un proyecto nuevo que nace en 2011. Esta es tan solo su tercera cosecha.

AG: Notas de eucalipto, vegetal y mineral. Fruta fresca, gran textura, taninos tensos y acidez fresca. Muy rico.

92,5 / $$$
Ciruelo Blend 2015.
Finca Las Glicinas. Mendoza.
Valle de Uco. Altamira

VM: Corte 50 % Malbec, 20 % Cabernet Franc, 20 % Cabernet Sauvignon y 10 % Syrah. Especias dulces y frescas, ciruelas negras, viruta de lápiz y pimientos. Es goloso, amplio, de taninos finos, paso elegante y madera integrada. Pasa su crianza en barricas usadas.

AG: Novedad de Altamira. Sedoso, con volumen y nervio, buena fruta y fresca acidez final.

92,5 / $$
Manos Negras Stone Soil
Malbec 2015. Manos Negras
Wines. Mendoza. Valle de Uco.
Altamira

VM: De suelos pedregosos proviene este Malbec floral, con notas de hierbas frescas. Tiene textura mineral, acidez fina, taninos redondos y sabor persistente

AG: Un Malbec directo y rico, con buen mix de aromas y sabores, tensión y buena textura. Beberlo joven.

92 / $$$
Ciruelo Malbec 2015. Finca Las Glicinas.
Mendoza. Valle de Uco. Altamira

VM: Haciendo honor a su nombre, expresa ciruelas rojas y negras, especias dulces, té y leves notas aportadas por su crianza en roble. En boca es delicado y de cuerpo medio.

AG: Novedad de Altamira. Mucha expresión de fruta roja y especias. Cuerpo medio y filoso en el paladar.

92 / $$$

Asa Nisi Masa Malbec 2016. Mundo
Revés. Mendoza. Valle de Uco. Altamira

VM: Malbec expresivo, sin madera. Es floral, concentrado y con gran expresión de fruta. Sabroso, compacto, franco y de taninos firmes.

AG: Con estilo. Mucha fruta, concentrado, floral y preciso. Buena capacidad de guarda.

92 / $$
Gira Mundo Eugenio Bustos
Cabernet Sauvignon 2014.
Mendoza. Valle de Uco. Altamira

VM: Expresivo Cabernet de San Carlos. Concentra fruta negra, chocolate amargo, leves notas de pimiento y especias frescas. Estructura firme, fresco y de final simple.

AG: Rico Cabernet con textura de tiza y nervio. Pureza frutal, mineral y balance. Best buy.

92 / $$

Revancha Malbec 2015.
Roberto de la Mota. Mendoza.
Valle de Uco. Altamira

VM: Vibrante Malbec pleno de flores y especias. En boca impacta y se siente concentrado. De frescura media y final mineral.

AG: Con personalidad, suelo, licoroso y concentrado. Textura de tiza y medio de boca, vibrante.

91 / $$
HD Malbec 2015. Familia Durigutti.
Mendoza. Valle de Uco. Altamira

91 / $$$$
Gauchezco Oro Appelation
Paraje Altamira Malbec 2013.
Gauchezco. Mendoza. Valle deUco.
Altamira

90,5 / $$
Pala Corazón Paraje Altamira Malbec
2015. Niven Wines. Mendoza.
Valle de Uco. Altamira

90,5 / $$$$
HD Reserva Malbec 2013. Familia
Durigutti. Mendoza. Valle de Uco.
Altamira

90,5 / $$$
Solo Contigo Colección Blend 2015.
Solo Contigo. Mendoza. Valle de Uco.
Altamira

90 / $$
Finca La Igriega Malbec 2014.
Finca La Igriega. Mendoza.
Valle de Uco. Altamira

90 / $$$$
SuperUco Calcáreo Coluvio Malbec
2015. SuperUco. Mendoza.
Valle de Uco. Altamira

Blancos

94 / $$$$
Susana Balbo Signature White Blend 2016.
Susana Balbo Wines. Mendoza. Valle de Uco. Altamira
VM: Vino perfumado con aromas de pomelo, pimienta blanca, comino, flores
blancas y lichi. Seco, de acidez super fresca y mediana untuosidad. Es mineral
y de final prolongado.
AG: Súper aromatico, ruda y pomelo, toque herbal, floral y de especias. Fino y
punzante, gran acidez y final de pomelo rosado.

93,5 / $$$
Zaha Chardonnay 2016. Teho.
Mendoza. Valle de Uco. Altamiraa
VM: Peras frescas, durazno blanco, ananá ma-
duro, especias perfumadas y dulces. Es volumi-
noso, complejo, franco, mineral de acidez fresca
y largo final.
AG: Muy aromático: ruda y pomelo, toque her-
bal, floral y de especias. Fino y punzante, gran
acidez y final de pomelo rosado.

92,5 / $$
Finca Suarez Chardonnay 2016.
Finca Suarez. Mendoza.
Valle de Uco. Altamira
VM: Sobrio, con notas de manzana fresca y fru-
tas de carozo, piedra mojada y piel de cítricos.
Es muy fresco, seco y salino. ¡Hermosa cosecha
para este Chardonnay!
AG: Un Altamira puro, mineral, con rica fruta,
limpio y cierta austeridad. Seco y preciso final.

92,5 / $$$

Jengibre Chardonnay 2016.
Finca Las Glicinas. Mendoza.
Valle de Uco. Altamira

VM: Fruta blanca fresca, piel de cítricos y almendras. Es austero, seco, fresco, fluido, delicado y mineral.

AG: Mineral, rico, con tensión y nervio, fruta pura, buena textura y expresión. Vertical y largo.

91,5 / $$$

Susana Balbo Signature Barrel
Fermented Torrontés 2016. Susana

89 / $$

Chakana Estate Selection Chardonnay
2016. Chakana Andean Wines.
Mendoza.Valle de Uco. Altamira

Espumantes

93 / $$

Ayni Nature Sparkling Wine. Chakana
Andean Wines. Mendoza.
Valle de Uco. Altamira

VM: De color pálido y brillante, expresa frutas rojas, flores, especias y brioche. De acidez muy fresca, con estructura sostenida y fineza. Método tradicional, 18 meses de reposo sobre lías.

AG: Complejo, rico, fresco, mineral, especiado y con frutos rojos. Elegante de principio a fin, pide festejo.

92,5 / $$$

Finca Suarez Brut Nature.
Finca Suarez. Mendoza. Valle de Uco.
Altamira

VM: De color pálido y cristalino. Especiado, floral, con notas de cerezas y frutillas secas. Es seco, de burbuja cremosa y eléctrica, y acidez súper fresca. Zero dosage. Método tradicional.

AG: Finca Suarez se animó con las burbujas y le va bien. Tiene buena acidez, paso seco por boca, burbuja fina y balanceado final.

91 / $$$

Zaha Calcaire Rosé. Teho. Mendoza.
Valle de Uco. Altamira

Rosados

89 / $$

Finca La Igriega Malbec Rosé 2017.
Finca La Igriega. Mendoza.
Valle de Uco. Altamira

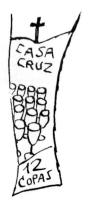

Gualtallary

El suelo móvil de "Gualta"

Por Juan Pablo Michelini / Enólogo. Zorzal Wines y Superuco.

Desde mi punto de vista, luego de escuchar a varios referentes, tanto de la enología como de la crítica, y sumado a mi experiencia de algunos años, hay una huella digital propia como no sucede en otros lugares. Uno puede degustar distintos estilos de vinos, realizados con uvas de esta zona, y hay algo inconfundible que muestra a Gualta a pesar de las diferencias.

Sabiendo que es mi lugar, y como tal tengo un amor especial, hablaré desde allí, desde la parte sentimental, pero nos llevará inevitablemente a lo técnico.

Siempre digo que quienes cultivamos la viña y elaboramos vinos aquí somos muy privilegiados por lo que tenemos, ya que naturalmente todo confluye en una calidad y sobre todo en una identidad extrema, que a nosotros, humanos débiles y llenos de errores, nos facilita la tarea de, por lo general, estar al tope de la buena expresión y de la buena crítica. ¿Por qué?

Clima de Montaña: Gualtallary es una de las zonas de la región más fría y más alta (sin incluir a La Carrera, donde recién se están haciendo algunas prácticas experimentales). La altura y el clima conducen a ciclos de madurez casi perfectos, pensando en el equilibrio de azúcares y polifenoles, logrando este mismo equilibrio en el vino final. La altura brinda una luz más intensa, que da colores muy potentes. La brisa de montaña permanente ayuda mucho a la sanidad, sobre todo en años muy húmedos, como fue el 2016.

Suelo diverso pero con un punto en común: hay situaciones distintas en Gualta, pero en general tenemos médanos de arena, entre 50 cm y 3 metros en algunos lugares. Luego viene lo pedregoso, entre canto rodado y granito, y hay sitios donde encontramos tosca calcárea. Pero en todas estas situaciones, tanto en la arena como en la piedra y por su puesto en la tosca, hay un alto contenido de carbonato de calcio. Estos tipos de suelo son, en gran parte, la causa de esta identidad única e irrepetible. Este suelo móvil ayuda a que en años lluviosos drene el agua, sumando a la sanidad de la viña. Genera en la planta ciertos mecanismos de autodefensa, provocado por la pobreza del suelo y lleva a un crecimiento y desarrollo único

de la planta y finalmente de sus racimos, logrando aromas y texturas muy particulares, sobre todo esta textura tánica fina.

Esta sanidad natural es la clave para poder jugar con distintas técnicas, tanto de plantación y de riego como de elaboración, para conocer la mejor manera de hacer un vino aquí. Nuestra búsqueda es obtener el mejor carácter para luego, en un futuro, poner el foco en un estilo particular que lleve a Gualtallary a lo más alto.

En Conclusión: Gualtallary es identidad. Identidad de montaña, suelo aluvional con alto contenido de carbonato de calcio. Vinos de tierra con fineza y nervio que, a la larga y con buena crianza, logran una elegancia única. Viñas jóvenes que están dando inicio a algo muy grande. Potencial de guarda.

Tintos

100 / $$$$$

Adrianna Vineyard Fortuna Terrae
Vino de Parcela Malbec 2013. Catena Zapata.
Mendoza. Valle de Uco. Gualtallary

VM: De complejidad extensa. Es aterciopelado, profundo, sutil, delicado, fino. ¡Es vibrante! Su acidez es precisa, despliega violetas, hojas secas, tomillo y suaves notas de roble en estupenda armonía. Taninos pulidos, tiza y muy persistente. Literalmente, ¡nos pusimos de pie!

AG: Qué decir cuando pasa lo que nos pasó al probar el Fortuna Terrae. Prácticamente saltamos de la silla y nos abrazamos con Valeria. Es vibrante, eléctrico, con tremenda textura de terciopelo, súper pulido, salvaje y elegante al mismo tiempo, rico, jugoso, con capas de sabores, flores, especias... La fruta en su expresión máxima, taninos y acidez muy balanceados, nuestros 100 puntos puestos con la alegría de que exista este vino, sea Argentino y muestre el camino a seguir.

99,5 / $$$$$
Adrianna Vineyard River Stones Vino de Parcela Malbec 2013.
Catena Zapata. Mendoza. Valle de Uco. Gualtallary

VM: Floral, tierra húmeda, romero, cassis, ciruelas negras y madera elegante.
Electricidad. Es complejo, de acidez filosa, texturado, calcáreo y de final salino.
Piedras de río componen su suelo. Súper largo. ¡Un vino maravilloso!

AG: Vibrante, muy floral especiado y complejo. En boca es tenso, firme y con ricas
aristas frutales frescas, taninos vibrantes y textura adorable. Hay vino para rato.
Tremendo exponente del lugar. Es de esos vinos que año a año vamos a pelear por
encontrar alguna botella. Hay poco y está demasiado bueno. ¡Hay que buscarlo!

99 / $$$$$
Adrianna Vineyard Mundus Bacillus Terrae Vino de Parcela
Malbec 2013. Catena Zapata. Mendoza. Valle de Uco. Gualtallary

VM: Una parcela de 1,4 hectárea, con suelos compuestos por carbonato de calcio y fósiles marinos, es la que le da vida. De nariz infinita y plena de matices.
Textura mineral, gran sostén y tensión, y acidez súper fresca. Final levemente
salino y tenaz. Enorme potencial de guarda.

AG: A la altura de toda la saga Parcela, el Mundus es explosivo, floral, especiado, con notas de cuero y mineral. Tremenda expresión de terroir, rico, capas de
sabores y fruta roja fresca al máximo. Un deleite.

98,5 / $$$$$
Gran Enemigo Gualtallary Single Vineyard Cabernet Franc 2013.
Aleanna. Mendoza. Valle de Uco. Gualtallary

VM: Súper complejo, pétalos de flores, pimienta negra, cassis y notas terrosas.
De textura calcárea y sensación de tiza, tiene hueso y es levemente salino. Largo
y memorable. 85 % Cabernet Franc y 15 % Malbec de suelo calcáreo rocoso.

AG: El gran Cabernet Franc argentino, acá está todo lo que podés pedirle a la
variedad + el lugar + la mano del genio. Textura de tiza, acidez perfecta, pureza
frutal, definido, preciso, largo y elegante.

98 / $$$$$
Aluvional Gualta Tupungato Alto Malbec 2014. Zuccardi.
Mendoza. Valle de Uco. Gualtallary

VM: Sabroso, de textura sedosa y acidez refrescante. Se expresan la cereza negra,
las hierbas frescas y las violetas. Es elegante, fino, con concentración de tiza y
final prolongado.

AG: Gran vino, muy bien armado, textura adorable, sedoso y mineral. Con acidez electrizante, fruta fresca y pura, y taninos vibrantes. Muy vivaz, top.

97 / $$$$$

Benegas Lynch La Encerrada Estate Single Vineyard Malbec 2014.
Benegas. Mendoza. Valle de Uco. Gualtallary

VM: De acidez sostenida y muy fresca. Es herbal, floral con notas de grafito y cedro fresco. Vertical, de textura calcárea, cuerpo medio y taninos pulidos. Final persistente. ¡Qué bueno este Malbec de Benegas! Trasvasar.

AG: Lo mejor de Benegas viene de Guatallary. Fresco e intenso, especias frescas y mineralidad, con peso, profundidad y tensión. Está riquísimo y con buen balance, de taninos filosos, fruta fresca y largo final.

97 / $$$$

Primeras Viñas Malbec 2015. Lagarde. Mendoza.
Valle de Uco. Gualtallary

VM: Pureza y profundidad en este Malbec que en su primera nariz ofrece hierbas y hojas secas. En boca conmueve. Es jugoso, con textura de tiza, complejo y muy fresco. Expresión elegante de Gualtallary. Nariz profunda que conmueve, expresión elegante de la zona. Acidez muy fresca, complejo, pureza.

AG: Una expresión más serena de Gualtallary. Es elegante, austero y complejo. Especias, frutos rojos frescos, pimienta rosa, notas minerales y gran balance. Sedoso final que invita a volver a la copa.

97 / $$$$

@Micheliniwine Malbec 2014. Passionate Wines.
Mendoza. Valle de Uco. Gualtallary

VM: Concentración de fruta negra y roja fresca y mix de hierbas. Textura de pieles y tiza, acidez súper filosa y estructura sostenida. La madera es sutil y está integrada. Un vino de gran longitud.

AG: Qué lindo vino, gran expresión herbal y mineral, frescura y vivacidad. En boca es filoso, con tensión, taninos apretados, rico y jugoso. Largo y vivaz final de fresca acidez.

97 / $$$$$

Los Chocos Estéreo Cabernet Franc 2014.
Viña Los Chocos. Mendoza. Valle de Uco. Gualtallary

VM: Vivaz y complejo. De perfil herbal. En boca es eléctrico y vibrante. Acidez alta y filosa, gran presencia de tiza y taninos crocantes. Pureza y persistencia. ¡Gran Cabernet Franc de Gualtallary!

AG: Me enamoró. Tiene hierbas, eucalipto y fruta roja. Es elegante y seductor, con gran acidez, rico y filoso. Final puro y especiado. Un tremendo vino que dispara sensaciones... ¡todas buenas! Con el cordero de Casa Cruz se casa.

96 / $$$$$

Pasionado Cabernet Franc 2013. Andeluna. Mendoza. Valle de Uco. Gualtallary

VM: Armado y complejo, ofrece fruta negra, hierbas, viruta de lápiz y cedro fresco. De madera elegante y agradable frescura. Final equilibrado y prolongado.

AG: Andeluna viene consistente. Y, seguramente, con la incorporación de Hans Vinding Diers, va a aparecer la magia de Gualtallary. El Pasionado acerca mucho a eso. Es rico, fresco en nariz, con tipicidad y armonía, buena textura y final preciso. Pronóstico de guarda: 2018 2036. Con tapa de Happening.

96 / $$$$$

Buscado Vivo o Muerto La Verdad Malbec 2014. Bodega Buscado Vivo o Muerto. Mendoza. Valle de Uco. Gualtallary

VM: Estamos ante un vino que muestra textura y salinidad. En boca es súper fresco y crocante.

AG: Gualtallary en lectura Sejanovich. Un Malbec que se muestra salino con estructura y frescura, tensión y fruta aguda, taninos armados y firmes. Riquísimo.

96 / $$$$

Trapiche Terroir Series Finca Ambrosia Malbec 2011. Trapiche. Mendoza. Valle de Uco. Gualtallary

VM: Elegante expresión de Gualtallary. Un vino complejo, integrado, profundo y mineral. De frescura moderada y sostenida. Final persistente. Trasvasar.

AG: Gran interpretación de Daniel Pi en Gualtallary. Si bien es un 2011, se lo nota vivaz, con tensión y bien armado. La fruta está intacta y la madera ensamblada. ¡Es un gran vino!

96 / $$$$

Demente 2014. Passionate Wine. Mendoza. Valle de Uco. Gualtallary

VM: Nariz picante con predominio de especias frescas, frutas negras y tabaco rubio. Acidez súper fresca, taninos crocantes, texturado y sostenido. 55 % Malbec y 45 % Cabernet Franc.

AG: Enamora desde su mix de especias y flores en nariz. Buena concentración y volumen en boca. Texturas que van apareciendo, pureza frutal y tensión, taninos balanceados y largo final rico. Hay un vino importante.

95 / $$$$

Pasionado Cuatro Cepas 2014. Andeluna. Mendoza. Valle de Uco. Gualtallary

VM: Cuatro variedades elaboradas y criadas de manera individual. Este blend de 4 cepas ofrece fruta concentrada, pimienta, hierbas y notas tostadas. En boca hay capas de texturas y tiza. Vino potente, de gran cuerpo y taninos firmes. Madera en armonía. Final persistente.

AG: Color casi negro. Riquísimo vino con estirpe. Gran balance, taninos tersos, texturas en boca, rico, con final de chocolate. Falta integrar aún un poco la madera pero es un vino que brilla. Decantar y probar con hígado a la valenciana de Sottovoce.

95 / $$$$

SuperUco Calcáreo Granito Malbec 2015. SuperUco. Mendoza. Valle de Uco. Gualtallary

VM: Se expresa con gran pureza y profundidad. Tiene capas, filo y texturas. Mineral y persistente.

AG: Intenso desde la nariz, mineral y expresivo. Con hermosa textura en boca. Rico, jugoso, la fruta es densa y pura. Taninos filosos y final largo y preciso.

95 / $$$

Riglos Gran Malbec Las Divas Vineyard 2014. Riglos. Mendoza.Valle de Uco. Gualtallary

VM: Provenientes de Finca Las Divas, a 1.350 mnsm, las uvas dan origen a aromas de ciruelas negras, violetas, y romero. De frescura media y agarre, textura aterciopelada y final mineral. Persistente.

AG: Seductor en primera nariz, aromas de pólvora, salvaje, fruta roja fresca, mix de especias y gran tensión en boca. Un Gualtallary de pura cepa, largo y rico. Manjar con la tapa de ojo de bife de La Brigada.

95 / $$$

Domaine Busquet Grande Reserve Malbec 2015. Domaine Bousquet. Mendoza. Valle de Uco. Gualtallary

VM: Los Bousquet, establecidos en Mendoza, son la cuarta generación de una familia vitivinícola francesa. Aquí nos encontramos frente a un vino puro y directo que ofrece frescura, delicadeza y mucha jugosidad. Tiza y fineza.

AG: Pólvora, hierbas y especias. Filoso en boca, punzante y loco, un vino que va disparando sensaciones distintas. Rico y disfrutable con el cochinillo de El Casal de Catalunya.

TOP 20

95 / $$$

Riglos Gran Cabernet Franc 2015. Riglos. Mendoza. Valle de Uco. Gualtallary

VM: Anclados en Gualtallary desde 2002, Bodega Riglos elabora este Cabernet Franc en el que predomina la hierba fresca y mentolada, la fruta negra y fresca y la viruta de lápiz. Tiene estructura marcada y frescura media. Es un vino corpulento y sabroso.

AG: Complejo con elegancia, pura fruta negra y especias en boca. Es pleno y muestra texturas. Rico y con sensación de tiza, gran acidez y todo en su lugar. Gran vino para acompañar con la codorniz dorada de Tomo 1.

95 / $$$$

BenMarco Expresivo 2015. Susana Balbo Wines. Mendoza. Valle de Uco. Gualtallary

VM: Austeridad: previa de un gran vino que se abre poco a poco. Especias, flores y fruta. De acidez fresca, fineza, mineralidad y sabor persistente. Corte de Malbec con un porcentaje menor de Cabernet Franc. Trasvasar.

AG: Tremendo color. Tarda en abrirse. Es elegante, con concentración, pureza y fineza. Me encanta el estio señorial de un lugar que no da siempre vinos así. Decantar y disfrutar con el magret de pato de Restó.

95 / $$$$

José Zuccardi Malbec 2013. Zuccardi. Mendoza. Valle de Uco. Gualtallary

VM: Se presenta fragante y complejo. Fruta negra madura, mix de especias, flores, tabaco y madera armoniosa e integrada. Textura elegante y mineral. Un vino franco, de gran balance y persistencia. Un homenaje al gran José Zuccardi.

AG: Zuccardi sigue con novedades, y cada buena nueva no defrauda. El José es rico, con todo en su lugar, buen volumen en boca, dulce, equilibrado, jugoso y con taninos tersos. Rico y muy bebible, joven aún. Maridar con carnes en la nueva Bodega Zuccardi de Altamira.

95 / $$$

Riglos Gran Cabernet Sauvignon 2014. Riglos. Mendoza. Valle de Uco. Gualtallary

VM: Vino complejo, sabroso, mineral, con notas de tomillo, grafito, pimiento y toques mentolados. Es fresco, compacto, redondo y sabroso. Persistente.

AG: Cabernet con gran estructura, taninos firmes y tipicidad. Es robusto, con agarre. Tiene frutos negros y gran acidez. Con bife angosto de Kobe en Elena.

94 / $$$$

Riglos Gran Corte 2014. Riglos, Mendoza.
Valle de Uco. Gualtallary

VM: Mix de hierbas y bomba de fruta negra con notas de pimientos y balsámicas. Es vertical, de acidez fresca y gran estructura. Largo y sabroso. Blend de partes iguales de Malbec, Cabernet Sauvignon y Cabernet Franc.

AG: Riglos y su consistencia. Textura de tiza, profundo y limpio, con gran combinación de variedades. Taninos aguerridos y buena tensión final. Rico y balanceado. Decantar. Gran potencial de guarda. Me arriesgo con el carpaccio de llama de Roux.

TOP 20

94 / $$$

Catalpa Assemblage 2014. Atamisque.
Mendoza. Valle de Uco, Tupungato

VM: Expresión de guindas, ciruelas negras maduras, chocolate negro, pimienta y hierbas secas. Un vino intenso, estructurado y corpulento. Acidez fresca y final prolongado.

AG: Bien el blend de Catalpa, resulta especiado, fresco y herbal. En boca es filoso, con ángulo. Rico y bebible.

94 / $$$

Finca Ambrosia Viña Unica Cabernet Sauvignon 2013.
Finca Ambrosia. Mendoza. Valle de Uco. Gualtallary

VM: Nariz profunda y compleja. Mix de especias, tabaco rubio, eucalipto y fruta negra, Acidez que refresca y resalta sabores, capas de texturas y trazo firme. Persistente. Contiene un 5 % de Malbec.

AG: Mix de especias frescas, madera integrada, rico, con tensión y texturas. Sabroso y largo final. Con buena guarda por delante. Atreverse con carne de yacaré de El Baqueano.

94 / $$$$

Finca Ambrosia Precioso Malbec 2014.
Finca Ambrosia. Mendoza. Valle de Uco. Gualtallary

VM: Fruta fresca y crocante, tomillo y flores blancas. De textura mineral, taninos robustos y gran agarre. Madera elegante. Se seguirá desarrollando en botella. Se recomienda trasvasar.

AG: Buena estructura, jugoso y con taninos compactos, floral y con buena fruta. Un vino preciso en su mensaje.

94 / \$\$\$

Eggo Zorzal Tinto de Tiza 2015.
Zorzal Wines. Mendoza. Valle de Uco.
Gualtallary

VM: 92 % Malbec, 5 % Cabernet Franc y 3 % Cabernet Sauvignon. Es herbal, especiado y frutado. Su textura es calcárea. Es sabroso y jugoso, de columna firme y taninos pulidos. Vertical y filoso. Sin madera.

AG: Tinto de tiza con textura de tiza. Muy especiado, rico, perfumado y herbal. Con tensión y preciso. Rico y muy tomable.

94 / \$\$\$

Huentala Black Series Malbec 2014.
Huentala Wines. Mendoza. Valle de Uco.
Gualtallary

VM: Expresa fruta negra, notas de laurel y eucalipto. En boca se muestra potente, de gran estructura y taninos firmes. Es mineral y persistente. Mejor con un tiempo en botella.

AG: Gualtallary en su estado puro. Con buena estructura que proviene de la viña. Gran tensión y taninos vibrantes. Un vino rico y largo. Lo acompaño con liebre de El Baqueano.

94 / \$\$\$\$

Los Chocos Parcela 79 2015.
Viña Los Chocos. Mendoza. Valle de Uco.
Gualtallary

VM: Terroso, con fruta roja y negra fresca bien presentes, notas de orégano y tomillo. Su textura es sedosa y envolvente, con taninos firmes, salino, mineral, cárnico. Persistente. Blend de Malbec y Cabernet Franc de Gualtallary.

AG: Flores, especias y notas vegetales en este blend en el que domina el Cabernet Franc con su costado herbal. Sedoso en boca y con fresco final.

94 / \$\$\$\$

Gauchezco Oro Appelation Gualtallary Malbec 2013.
Gauchezco. Mendoza. Valle de Uco.
Gualtallary

VM: De nariz intensa con perfil herbal. Se integra con ciruelas frescas, con especias y con trazos de su crianza en madera. Su textura es pulida y su final sabroso.

AG: Un Gualtallary complejo, con un costado bien marcado de hierbas frescas, frutos rojos y especias. Bien integrada la madera y con final fluido y rico.

GUALTALLARY

**Sin duda, una de las dos subregiones (junto con Altamira)
más hot, no por calurosa sino porque está dando
los vinos con más personalidad. Si bien la mayoría
de los viñedos son jóvenes, ya están mostrando todo su potencial
y consistencia. Vinos frescos, a veces salvajes, con filo y delicados.
Cuatro de los 5 vinos mejor puntuados
en esta guía son de Gualtallary.**
AG.

93,5 / $$$
**Cadus Appelation Tupungato Malbec
2015. Cadus Wines. Mendoza.
Valle de Uco. Tupungato**

VM: Un Malbec de impacto. Es concentrado y expresivo. De gran presencia en boca, columna firme y agradable frescura. Persistente. Mejor aún con un tiempo en botella.

AG: Como toda la línea Appelation, el Tupungato no desentona. Es compacto, profundo, preciso en su mensaje y con mucho para dar. Necesita decanter. Sería ideal esperarlo un poco, pero es rico, jugoso y carnoso, con final ajustado.

93,5 / $$$$
**Atamisque Assemblage 2014.
Atamisque. Mendoza.
Valle de Uco. Tupungato**

VM: Fruta negra, notas balsámicas, pimiento asado y eucalipto. En boca es complejo, carnoso, de acidez fresca, paso elegante y mineral.

AG: Blend del lado fresco, herbal y con fruta roja fresca. Intenso en boca, punzante y rico, con buena textura y final largo y frutal.

93 / $$$$
**El Enemigo Malbec 2014. Aleanna.
Mendoza. Valle de Uco.
Gualtallary**

VM: Mix de fruta roja y negra de baya, pimientas, notas tostadas y florales. De cuerpo medio, frescura moderada y efusiva jugosidad.

AG: Buena expresión en nariz, floral, café y mineral. Jugoso y con taninos filosos. Rico final de fruta fresca y tostados.

93 / $$$
**Livverá Malbec 2015.
Escala Humana Wines. Mendoza.
Valle de Uco. Gualtallary**

VM: Co-fermentación de 3 fincas de Gualtallary que dan origen a este Malbec de acidez súper fresca, con notas de regaliz, hierba seca y fruta negra. En boca es tenso, mineral, de taninos firmes y final seco.

AG: Es de esos vinos que dan más de lo que cuestan. Jugoso y filoso, fresco. La madera acompaña y tiene un toque mineral que queda bien. Buena pureza y acidez final.

93 / $$$$

Atamisque Malbec 2015.
Atamisque. Mendoza. Valle de Uco.
Tupungato

VM: Un Malbec delicioso con mucha expresión de fruta y perfumes florales. De textura elegante y mineral. Balance y persistencia presentes.

AG: Redondo, dulce y muy bebible. Sin aristas, directo. Un Malbec floral y de frutos rojos con toque mineral.

93 / $$

JiJiJi Gualtallary Malbec Co2
Pinot Noir 2017. Gen del Alma.
Mendoza. Valle de Uco. Gualtallary

VM: Co-fermentan Malbec y Pinot con racimos enteros. Frutillas y cerezas frescas, especias como canela y pimienta. En boca es rugoso, fresco y ¡súper bebible!

AG: Sedoso, fresco y expresivo, hierbas frescas frutos negros y buena concentración. Con gran balance y muy bebible.

93 / $$$

The Apple Doesn't Fall Far From
the Tree Pinot Noir 2016.
Matías Riccitelli. Mendoza.
Valle de Uco. Gualtallary

VM: En este Pinot de Gualtallary, la fruta roja se expresa crocante, despliega mix de hierbas y pimineta blanca. Acidez super refrescante y textura de tiza. Final persistente.

AG: Rico, con mucha personalidad, especias y frutos negros. Salvaje, con nervio y tensión, taninos apretados. Hay vino para ahora y unos años más. Uno de los Pinot a tener en cuenta del Valle de Uco. Si mantiene el estilo y lo va ajustando, puede brillar mucho más aún. Ojalá.

92,5 / $$

Gauchezco Plata Grand Reserve
Cabernet Sauvignon 2014.
Gauchezco. Mendoza.
Valle de Uco. Gualtallary

VM: Mucha fruta pura y notas de eucalipto. Con estructura, acidez fresca y taninos bien marcados. Es un Cabernet potente, con tipicidad y final seco.

AG: Cabernet con buena estructura, fresco, notas de pimienta y frutos rojos, textura de tiza y buena conexión entre todo. Es joven y promete dar más.

92,5 / $$

Montesco Punta Negra Pinot
Noir 2015. Passionate Wines.
Mendoza. Valle de Uco.
Gualtallary

VM: Pureza de fruta roja, té negro y hierbas. De textura rugosa, sensación de tiza, súper bebible y fresco. Final equilibrado. Crianza en toneles viejos.

AG: El Punta Negra lleva la huella digital Micheli-ni. Es fácil, suave y bebible, equilibrado, con textura y balance, filo, personalidad y final vertical.

92,5 / $$

Zorzal Gran Terroir Cabernet
Sauvignon 2015. Zorzal Wines.
Mendoza. Valle de Uco.
Gualtallary

VM: Cabernet de altura, predominantemente frutado. Cassis, notas de pino, tomillo y pimiento verde. De acidez fresca, textura de tiza, cuerpo medio y final sabroso.

AG: Un Cabernet con el ADN que Micheli-ni le imprime a Gualtallary. Vertical, fresco y filoso. Se bebe rápido. Es un best buy. Recomiendo tomarlo joven.

92 / $$
Reserva de Potrero Malbec 2016. De Potrero. Mendoza. Valle de Uco. Gualtallary

VM: Primera añada de este vino, proyecto de Nicolás Burdisso y Belén Soler Valle. Ofrece aromas de fruta roja madura y fresca, notas de hierbas y chocolate. Es jugoso, con estructura. Tiene tensión y frescura.

AG: Un Malbec con las características del lugar, salvaje y filoso, con tensión, fruta fresca y especias, más un buen volumen en boca que redondea la idea.

92 / $$$
El Enemigo Cabernet Franc 2014. Aleanna. Mendoza. Valle de Uco. Gualtallary

VM: Aromas de cereza negra y especias. En boca es estructurado, de taninos firmes y sabor intenso. El uso de fudres antiguos lo resaltan y completan.

AG: El gran Cabernet Franc argentino. Acá está todo lo que podés pedirle a la variedad + el lugar + la mano del genio. Textura de tiza, acidez perfecta, pureza frutal, definido, preciso, largo y elegante.

92 / $$$
Finca Ambrosia Viña Unica Malbec 2013. Finca Ambrosia. Mendoza. Valle de Uco. Gualtallary

VM: De una rigurosa clasificación de viñedos comandada por Pedro Parra, resulta esta Viña Unica que ofrece un Malbec concentrado con expresión de fruta de baya madura, especias y notas de crianza. Contiene un 5 % de Cabernet Franc. Es corpulento, de taninos firmes. Se desarrollará con un tiempo en botella.

AG: Con volumen, concentrado con la madera aún presente. Gran potencial de guarda: mejor a partir de 2019.

92 / $$$$$
Antigal One La Dolores Malbec 2008. Antigal. Mendoza. Valle de Uco.

VM: Expresa complejas notas de evolución. Se mantiene concentrado con taninos vivaces y final persistente.

AG: Sostenido en el tiempo. Concentrado y con agarre, frutos negros y ahumado final. Decantar.

92 / $$
Chakana Estate Selection Cabernet Sauvignon 2015. Chakana Andean Wines. Mendoza. Valle de Uco. Gualtallary

VM: Moras, pimiento rojo, notas tostadas y cedro fresco. Es estructurado, de textura mineral con taninos firmes. Final seco. Trasvasar.

AG: Herbal, seco, con agarre, textura y austeridad que le queda bien, bien Cabernet.

92 / $$$$
Los Chocos Parcela 5 Pinot Noir 2015. Viña Los Chocos. Mendoza. Valle de Uco. Gualtallary

VM: Proveniente de una parcela dentro de Tupungato Winelands, este Pinot de perfil terroso y fresco es una mezcla de delicadeza y personalidad. Jugoso, rico y persistente.

AG: Aromas terrosos y herbales, en boca hay tensión, acidez punzante y buen agarre. Un Pinot salvaje, para tomar riesgos.

91,5 / $$
Desquiciado Cabernet Franc 2016. Desquiciado. Mendoza. Valle de Uco. Gualtallary

91,5 / $$$
Zorzal Eggo Franco Cabernet Franc
2016. Zorzal Wines. Mendoza.
Valle de Uco. Gualtallary

91,5 / $$$$
Celedonio Gran Malbec 2013. Margot.
Mendoza. Valle de Uco. Tupungato

91 / $$
Andeluna Altitud Cabernet
Sauvignon 2014. Andeluna.
Mendoza.Valle de Uco. Gualtallary

91 / $$
De Potrero Malbec 2016.
De Potrero. Mendoza.
Valle de Uco. Gualtallary

91 / $$
Doña Paula 1350 (Cabernet
Franc, Malbec, Casavecchia)
2014. Doña Paula. Mendoza. Valle de
Uco. Gualtallary

91 / $$$
Flâneur Single Vineyard Reserve 1170m
Malbec 2014. Los Flâneurs. Mendoza.
Valle de Uco. Gualtallary

91 / $$$
Huarpe Gualtallary Terroir
2013. Huarpe. Mendoza.
Valle de Uco. Gualtallary

91 / $$
Taymente Cabernet Sauvignon
2015. Huarpe. Mendoza.
Valle de Uco. Gualtallary

90,5 / $$
Domaine Busquet Reserve Pinot
Noir 2016. Domaine Bousquet.
Mendoza. Valle de Uco. Gualtallary

90,5 / $$
Antonio Mas Núcleo Cabernet
Sauvignon 2014. Sumun. Mendoza.
Valle de Uco. Tupungato. La Arboleda

90,5 / $$
Hotel Malbec 2015. Huentala Wines.
Mendoza. Valle de Uco. Gualtallary

90 / $$
Desquiciado Malbec 2016.
Desquiciado. Mendoza. Valle de Uco.
Gualtallary

90 / $$$
Atamisque Catalpa Old Vines
Cabernet Sauvignon 2015.
Atamisque. Mendoza.
Valle de Uco, Tupungato

90 / $$$
Desquiciado (Malbec, Cabernet Franc)
2015. Desquiciado.
Mendoza. Valle de Uco. Gualtallary

89,5 / $$$
Gran Malbec de Potrero 2015.
De Potrero. Mendoza.
Valle de Uco. Gualtallary

89,5 / $
Atamisque Serbal Cabernet
Franc 2017. Mendoza.
Valle de Uco. Tupungato. San José

GUALTALLARY: LO SALVAJE, LA HIERBA Y LA MINERALIDAD
VM.

89 / $
Antonio Mas Single Vineyard Cabernet Sauvignon 2015. Mendoza Valle de Uco. Tupungato. La Arboleda

88,5 / $$
Antigal Uno Cabernet Sauvignon 2014. Achaval Ferrer. Mendoza. Valle de Uco. Tupungato.

89 / $
Serbal Pinot Noir 2017. Atamisque, Mendoza. Valle de Uco, Tupungato. San José

88 / $$$
Atamisque Catalpa Malbec 2016. Mendoza. Valle de Uco. Tupungato

89 / $$$$
Antonio Mas Historia Malbec 2011. Sumun. Mendoza. Valle de Uco, Tupungato. La Arboleda

Blancos

97 / $$$$$
Adrianna Vineyard White Bones Vino de Parcela Chardonnay 2014. Catena Zapata. Mendoza. Valle de Uco. Gualtallary

VM: Sobriedad, elegancia y fineza. Mix de especias, fruta blanca fresca, cítricos asados y cera de abeja. Madera sutil y elegante. En boca es delicadamente cremoso, súper mineral, de acidez filosa y extremadamente largo.

AG: Hoy es sin dudas el gran Chardonnay argentino, es mineral, intenso y elegante, con mucha complejidad. Va dando información de a poco y su paleta es muy amplia. Herbal, fresco y con largo final mineral y de texturas. Sin duda se banca a los mejores exponentes del mundo a su lado. Descorcharlo frente a la merluza negra de Chile.

95 / $$$$$

Adrianna Vineyard White Stones Vino de Parcela Chardonnay 2014. Catena Zapata. Mendoza. Valle de Uco. Gualtallary

VM: Nariz sutil que remite a las hierbas frescas, a la piedra mojada, a la flor de azahar y al durazno fresco y jugoso. De acidez filosa, hueso y sostén. Es untuoso, complejo, franco y texturado. Trasvasar

AG: Manojo de hierbas frescas, lima, fruta blanca y especias. Seco, con gran paso por boca y súper acidez. Refrescante final. De guarda. Con la trucha de Tomo 1.

94 / $$$$

Guarda Colección de Viñedos Chardonnay 2015. Lagarde. Mendoza Valle de Uco. Gualtallary

VM: Vibrante y elegante. Es especiado, con notas de pasto fresco y flores blancas. De acidez refrescante y mineral.

AG: Complejo y balanceado, punzante, con mucha fruta, mineral y seco. Rico y largo floral.

92,5 / $$$$

Guarda Colección de Viñedos Unoaked Chardonnay 2014. Lagarde. Mendoza. Valle de Uco. Gualtallary

VM: Ananá, especias, frutas de carozo, acidez refrescante. Final seco y mineral. Sin madera.

AG: Interesante perfil de Chardonnay con fruta blanca y ananá. Es seco, filoso y vertical. Rico para beber ahora.

 92,5 / $$

Pala Corazón Gualtallary Malbec 2013. Niven Wines. Mendoza. Valle de Uco. Gualtallary

VM: Vibrante Malbec de Gualtallary donde la fruta fresca y madura se conjugan. Notas de hierbas secas y flor. Es jugoso, de cuerpo medio, acidez refrescante y textura sedosa.

AG: Con estilo, punzante y filoso. Conserva fruta roja fresca y dulzor. Rico. Taninos suaves, buena tomabilidad, great value de Lucas Niven.

92 / $$$

Domaine Busquet Grande Reserve Chardonnay 2015. Domaine Bousquet. Mendoza. Valle de Uco. Gualtallary

VM: Nariz atractiva, con expresión de fruta blanca fresca, piel de cítricos, manteca y almendras. Un vino equilibrado, de agradable frescura y final elegante.

AG: De estilo clásico, elegante, rico. Buena fruta, toque de lima y flores, final de volumen medio.

92 / $$$$

Angélica Zapata Alta Chardonnay 2014. Catena Zapata. Mendoza. Valle de Uco. Gualtallary

VM: Manzana madura, pera, piel de naranja, nuez y notas de vainilla. En boca es untuoso, de acidez fresca, mineral y persistente.

AG: Un clásico de estilo clásico. Mantecoso, con madera y especias pero con buen balance y acidez. Un Chardonnay gastronómico, pide comida.

92 / $$$
El Enemigo Chardonnay 2015.
Aleanna. Mendoza.
Valle de Uco. Gualtallary
VM: El blanco de los Enemigo despliega fruta blanca madura, frutas secas, flores blancas y piedra mojada. En boca se expresa el carácter mineral. Es untuoso, fresco, seco y con gran personalidad. Persistente.
AG: Con estirpe, filoso, seco, con tensión. Mineral y toque cítrico final que lo sostiene, preciso y rico.

91 / $$$
Huentala Black Series Chardonnay 2016.
Huentala Wines. Mendoza. Valle de Uco.
Gualtallary

90,5 / $$$
Ambrosia Viña Unica Chardonnay 2014. Finca Ambrosia. Mendoza. Valle de Uco. Gualtallary

89 / $
Atamisque Serbal Viognier 2017. Mendoza. Valle de Uco. Tupungato

88 / $$
Taymente Sauvignon Blanc 2015. Huarpe. Mendoza. Valle de Uco. Gualtallary

La Consulta

Maridaje de clima y suelo

Por Laura Principiano / Enóloga de Zuccardi Valle de Uco.

La Consulta es un distrito que se encuentra dentro de San Carlos, uno de los tres departamentos que constituyen el Valle de Uco.

Es una de las regiones con más historia vitivinícola dentro de Mendoza y del país. Allí es posible encontrar viñedos con más de 100 años de antigüedad, trabajados desde la tradición y la herencia familiar de una manera muy convencional: marcos de plantación grandes, pocas plantas por hectárea, riego por surcos.

La Consulta presenta óptimas características para la producción de uvas y vinos de gran calidad. Tiene una altitud promedio de 1.000 msnm que le proporciona una gran cantidad de luz, temperaturas muy apropiadas para el cultivo de la vid y una importante amplitud térmica entre el día y la noche. Con esto aparece una expresión de los varietales con un complejo abanico de colores, aromas y boca. Estas particularidades se suman a las propias de Mendoza: un desierto en altura, con bajísimas precipitaciones, que aporta una gran sanidad y calidad en la uva.

Otro aspecto a destacar son sus suelos aluvionales, que se formaron hace millones de años a causa del arrastre de agua y materiales que hizo el cono aluvional del río Tunuyán, mayoritariamente franco arenosos con una profundidad de 1 a 1,5 metro, para luego encontrar un canto rodado pequeño.

Esta combinación de factores climáticos con suelos aluvionales, demuestran la gran aptitud vitícola de la zona que nos ofrece singulares vinos. En variedades tintas encontramos colores muy profundos: negros y rojos, aromas a fruta roja, como frutilla y cereza, combinada con fruta negra, como ciruelas y arándanos, y una gran expresión en boca: taninos muy amables, jugosos y un perfecto equilibrio entre la acidez y la concentración.

Para mí es un placer trabajar con viñedos y uvas de La Consulta y poder hacer vinos de este maravilloso lugar; vinos que presentan características diferentes según los efectos del año, del viñedo y de la mano del viticultor, lo que nos da una gran identidad.

Tintos

98 / $$$$
Teho Malbec 2014. Teho. Mendoza. Valle de Uco. La Consulta

VM: Puro, complejo y pleno. Es compacto, concentrado, texturado, envolvente y aterciopelado. Frescura y mineralidad. Elegante y súper persistente. ¡Una bomba! 90 % Malbec, 6 % Merlot, 4 % Cabernet Franc.

AG: Vibrante, elegante y concentrado, mucho estilo, Malbec de estirpe. Textura de tiza, frescos frutos negros flores y especias. Riquísimo y con volumen, bien integrado y de final inolvidable. Ideal decantar. Con magret de pato de Elena.

97 / $$$$$
Teho Grand Cru Les Paquerettes Malbec 2014. Teho. Mendoza. Valle de Uco. La Consulta

VM: Dentro del viñedo Tomal, de 1940, se clasificaron y seleccionaron los suelos que dan origen a los tres Grand Cru de esta línea. Les Paquerettes se caracteriza por su alto porcentaje de limo. Brinda una nariz fragante y picante, con especias, lavanda y fruta roja crocante. Sostiene mucha frescura, es fino, con notas de grafito y textura aterciopelada.

AG: Concentrado y delicado a la vez, con tensión y vibrancia, frutos negros y flores, texturas que se suman y largo final. Pide carne dry aged, de Elena.

96 / $$$$$
Teho Grand Crus Les Velours Malbec 2014. Teho. Mendoza. Valle de Uco. La Consulta

VM: Este Gran Cru se caracteriza por su suelo arenoso. Se destaca la pureza de su fruta. Notas de violetas, tabaco y viruta de lápiz. De acidez filosa. El paso por barrica es balanceado e integrado. Delicado, elegante y persistente.

AG: Rico, fruta roja fresca, flores, especias y pólvora. En boca, mucho agarre, profundo y filoso. Final de tiza bien marcado.

95 / $$$$$
Teho Grand Cru Les Cailloux Malbec 2014. Teho. Mendoza. Valle de Uco. La Consulta

VM: El suelo de Les Cailloux se destaca por su mayor contenido de calcáreo. Concentración compacta. Notas herbales, como romero y laurel, acompañan la fruta negra y las especias frescas. Tiene tensión, textura de tiza y sabor persistente.

AG: Frutos negros y especias frescas, jugoso y directo. Taninos pulidos que lo hacen bebible aún siendo joven.

95 / $$$$
D.V. Catena Vineyard Designated Nicasia Malbec 2011.
Catena Zapata. Mendoza. Valle de Uco. La Consulta

VM: Súper integrado y de gran balance. Es complejo, sedoso, fresco, con popurrí de flores, hojas secas, fruta negra y notas cárnicas. Final seco elegante y persistente.

AG: Cuando el paso del tiempo viene bien y te hace sabio. Hay integración y complejidad. Conserva frescura y mucho volumen en boca. Está riquísimo y tiene vida por delante.

95 / $$$$
TOP 20

TintoNegro Vineyard 1955 Malbec 2014.
Tinto Negro. Mendoza. Valle de Uco. La Consulta

VM: Un suelo arenoso, con piedras cubiertas de cal, sostienen a esta viña de 1955. Compacto, armado y texturado. Levemente salino. Concluye en un vino elegante, profundo y persistente.

AG: Lo que puede dar un viñedo de 70 años: un vino sólido, preciso, con textura de tiza y tensión. Fresco y herbal, fruta pura y final rico y largo. El cabrito de Chila le va a sumar fuerte.

94 / $$$$$
Antología XXXVIII 2012. Rutini. Mendoza. Valle de Uco. La Consulta

VM: Nariz que comienza sobria pero luego se hace profunda y compleja. Flores secas, moras y especias. Corpulento, equilibrado y mineral, con textura de tiza y acidez fresca.

AG: Los Antología, agradecemos estos caprichos de Mariano Di Paola. Este es sedoso y armónico, buena pureza de fruta roja y gran tensión. Un vino redondo y definido.

93,5 / $$$$
LTU Malbec 2012. LTU. Mendoza.
Valle de Uco. La Consulta

VM: Nariz picante y especiada. Es carnoso, con taninos maduros y se desliza con fluidez. Final elegante y persistente.

AG: Un vino fluido, rico, jugoso, floral y mineral. Taninos suaves y dulces, rico y muy bebible, equilibrado.

93,5 / $$$$
El Vuelo del Chaman Viña Delfina.
2014 Bodega Chaman.
Mendoza Valle de Uco. La Consulta

VM: Concentrado y súper especiado. Un vino con gran estructura, capas y potencia. El Petit Verdot deja su trazo marcado. Mejor con un tiempo en botella. Un vino para guardar.

AG: Rico, concentrado, frutos negros, bien armado y compacto. Necesita decanter y un bife de chorizo.

93 / $$$$

Cuarto Dominio Tradición de Familia Malbec 2014. Cuarto Dominio. Mendoza. Valle de Uco. La Consulta

VM: Ciruela e higos maduros, especias dulces, popurrí de flores y tierra húmeda. Es estructurado, con taninos firmes y final persistente. Blend de dos lotes de 1970 de La Consulta.

AG: Rico, con tensión. Fruta roja fresca, mineral e integrado. Con taninos firmes y buena acidez.

93 / $$$$

Rutini Colección Malbec 2014. Rutini Wines. Mendoza. Valle de Uco. La Consulta

VM: Un clásico. Ciruelas rojas y cerezas maduras, violetas y roble sutil. De cuerpo medio. Es un vino amplio, de frescura media. Final fragante.

AG: Puro, preciso, con taninos compactos. Rico y especiado, algo de hojas secas y pólvora también en nariz. Final dulce.

 92,5 / $$

Chaman Red Blend Bodega Chaman. Mendoza. Valle de Uco. La Consulta

VM: Especiado, herbal, floral, con concentración de fruta negra y roja madura. Llena la boca, es carnoso, y corpulento.

AG: Rico, bien herbal, frutos negros, concentrado y mineral. Textura de tiza y taninos tersos.

92,5 / $$$

Chento Single Lot Malbec 2014. Cuarto Dominio. Mendoza. Valle de Uco. La Consulta

VM: Especias dulces y frescas, grafito, fruta roja y humo. La madera hace su aporte y lo integra. Es estructurado, de taninos sostenidos y agrada-

ble frescura. Tiene 3 % de Cabernet Franc y 2 % de Petit Verdot.

AG: Con estructura y agarre, y taninos apretados. Se lo siente joven, con pureza y buena fruta. Hay suelo, textura y final de chocolate. Se puede guardar.

92,5 / $$$

Adrián Río Vine Selected Gran Malbec 2013. Mendoza. Valle de Uco. La Consulta

VM: Fruta roja, especias, notas tostadas y de tabaco. Pulido y redondo. Un vino con gran presencia en el medio de boca. Sabor persistente.

AG: Tremendo color, concentrado, profundo. Frutos negros, especias y final rico y tostado. Amplio de paladar y con taninos firmes.

92 / $$$

Laderas de los Andes Reserva Malbec 2013. Laderas de los Andes. Mendoza. Valle de Uco. La Consulta

VM: Otorga aromas de fruta madura y especias dulces. Es intenso, carnoso y sabroso. Equilibrado.

AG: Rico, compacto, con mucho para dar. Hay textura de tiza, buena acidez y muy rica fruta. Gran balance.

92 / $$$$

Trapiche Terroir Series Finca Orellana Malbec 2011. Trapiche. Mendoza. Valle de Uco. La Consulta

VM: Predominan las especias dulces, como el regaliz, el chocolate y las notas tostadas. Presencia de fruta negra madura y detalles balsámicos. Taninos masticables. Beber o guardar.

AG: Cerrado al principio, de a poco se deja ver. Frutos negros y especias, concentrado en boca, gordo, taninos firmes y final de chocolate y especias.

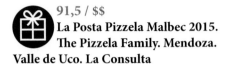
91,5 / $$
La Posta Pizzela Malbec 2015.
The Pizzela Family. Mendoza.
Valle de Uco. La Consulta

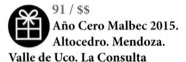
91 / $$
Año Cero Malbec 2015.
Altocedro. Mendoza.
Valle de Uco. La Consulta

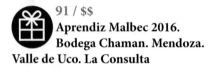
91 / $$
Aprendiz Malbec 2016.
Bodega Chaman. Mendoza.
Valle de Uco. La Consulta

91 / $$$
Adrián Río Family Barrel Malbec 2013.
Fincas Adrián Río. Mendoza. Valle de
Uco. La Consulta

91 / $$
El Relator Tempranillo 2015.
El Relator Wines. Mendoza.
Valle de Uco. La Consulta

90,5 / $$
Aprendiz Petit Verdot 2015. Bodega
Chaman. Mendoza. Valle de Uco.
La Consulta

90,5 / $$
Laderas de los Andes Malbec 2014.
Laderas de los Andes. Mendoza.
Valle de Uco. La Consulta

90 / $$$$
Luigi Bosca Grand Pinot Noir 2015.
Luigi Bosca. Mendoza. Valle de Uco.
La Consulta

90 / $$
Adrián Río Single Vineyard Malbec
2013. Fincas Adrián Río. Mendoza.
Valle de Uco. La Consulta

90 / $$
El Relator Cabernet Franc 2015.
El Relator Wines. Mendoza.
Valle de Uco. La Consulta

LA CONSULTA

Zona histórica, cada vez más valorada,
está dando vinos riquísimos, complejos
y con características propias, con buena fluidez,
texturas tersas y contundentes.
AG.

LA CONSULTA: **LA COMPLEJIDAD, LA EXPLOSIÓN Y LA JUGOSIDAD.**
VM.

Blancos

92,5 / $$
Mendel Semillón 2016.
Mendel Wines. Mendoza.
Valle de Uco. La Consulta.
VM: Semillón de perfil cítrico con aroma y sabor de lima, piel de limón y naranja, pasto fresco, flores blancas y miel. En boca es franco, de acidez refrescante y mediana estructura. Viñedo de 70 años en Altamira.
AG: Mendel hizo punta hace ya varios años revalorizando el Semillón; por suerte varios lo siguieron. Este 2016 está joven, limpio, puro, vibrante y chispeante con elegancia. Notas de lima, flores y especias. Genial ahora y se banca varios años.

Rosados

89 / $$
Adrián Río Rosé Malbec 2016.
Fincas Adrián Río. Mendoza.
Valle de Uco. La Consulta

PRODUCTORES INTERESANTES:
Teho, Chaman, La Rural, Tinto Negro,
Cuarto Dominio, Zuccardi,
Karim Mussi.

Los Chacayes

Paisaje desolado, vinos profundos

Por David Bonomi / Enólogo de Bodega Norton.

Los Chacayes es uno de los distritos de mayor extensión del departamento de Tunuyán. Al norte limita con Los Arboles, al este con Los Sauces y Vista Flores y al sur con Campo de los Andes. La Ruta 94 es su columna vertebral y en mi recuerdo es el camino transitado durante la infancia, cuando, paseando en familia, llegábamos a El Manzano Histórico. Era nuestro modo de pasar un día de montaña y acercarnos a hermosos arroyos para pescar alguna trucha.

Era una ruta desolada, pero con el tiempo se fue transformando. Algunos extranjeros y los mismos mendocinos comenzaron a conquistar este lugar inhóspito. Y con la ayuda del riego por goteo aparecieron los primeros viñedos entre chacayes y jarillas (ambos arbustos autóctonos del lugar).

A fines de la década del 90 yo ya había comenzado mi tarea de hacer vinos y tomé la decisión de afincarme en este nuevo lugar y tratar de entenderlo. Tiene días cálidos y noches muy frescas. El suelo, de origen aluvial, es muy escarpado por la gran pendiente. Tan diverso es que podemos caminar sobre la arena superficial y en pocos metros cambiar a un suelo de piedras cuadradas, tipo laja. Este lugar es único y, entre otras cosas, me ayuda a cultivar la templanza cuando llega alguna tormenta en verano; me ha quitado el aliento y la felicidad cuando el granizo rompió las esperanzas de hacer el vino.

Este lugar tiene todo, la magia y la simpleza. Solo hay que dejarse llevar por el paisaje salvaje y desolado, pero con una energía que traspasa la piel.

Así son los vinos que empecé a descubrir en en estos viñedos hace más de 16 años. Tienen una profundidad pocas veces vista, donde el carácter frutal está cubierto por las especias y la acidez se funde con los taninos para dejar un largo recuerdo. Tan largo como el recuerdo que te deja Los Chacayes cuando lo visitás.

PRODUCTORES INTERESANTES:
François Lurton, Corazón del Sol,
Finca Blousson, El Enemigo, Cadus,
Ver Sacrum, Anima Mundi.

Tintos

98 / $$$$$
Gran Enemigo Chacayes Vineyard Cabernet Franc 2013. Aleanna. Mendoza. Valle de Uco. Chacayes

VM: Pleno de energía. Brinda hierbas frescas, ciruela negra madura, notas de lavanda. Es elegante, complejo, de gran balance y refrescante mineralidad. Persistente. Tiene 85 % Cabernet Franc y 15 % Malbec de suelo aluvional con calcáreo.

AG: Vibrante, con tensión y gran energía. Un vino vivaz, completo, de taninos electrizantes. Riquísimo y largo.

97/ $$$$
Corazón del Sol Gran Reserva Malbec 2014. Corazón del Sol. Mendoza. Valle de Uco. Chacayes

VM: Proyecto establecido en 2008 de la mano del Dr. Madaiah Revana. Nos ofrece un Malbec elegante y complejo. La fruta, el terruño y la crianza se equilibran de manera ideal. En boca es profundo, con estructura, frescura y mineralidad. Largo final. Seguirá mejorando en botella. Un gran vino.

AG: Elegante y complejo, con textura sedosa, buena tensión y ajustado en todo. Riquisimo para beber, un elixir, todo en su lugar y más. Decantar y disfrutar con el solomillo de cerdo de Uco Restaurant.

96,5 / $$$$
Finca Viña Vida Malbec 2014. Cadus Wines. Mendoza. Valle de Uco. Chacayes

VM: De color violeta intenso. En un principio la nariz se presenta austera pero de a poco va mostrando sus perfumes. Moras frescas y frambuesas maduras, especias como pimienta y nuez moscada, cedro fresco, hierbas secas y flores. En boca es compacto, vertical, de acidez fresca, con hueso y textura de tiza. Persistente. Trasvasar.

AG: Seductor desde sus primeros aromas: floral, especiado y manojo de berries frescos. En boca es texturado, rico, compacto y con tensión. Gran volumen y potencial de guarda. Decantar para que se muestre mejor. Maridaje con codorniz de Restó.

96 / $$$$

Del Sol Los Chacayes Malbec 2014. Finca Blousson. Mendoza. Valle de Uco. Chacayes

VM: Nariz perfumada, floral y herbal. De perfil salvaje, con acidez filosa, textura calcárea y taninos firmes. Es concentrado y potente. Mejor aún con un tiempo en botella. Vino ícono de Finca Blousson.

AG: Finca Blousson es uno de esos proyectos "nuevos" que vienen mostrando consistencia. Del Sol es especiado, con notas de pimienta rosa, mineral y floral, jugoso y concentrado, con tensión y buen balance. Hay vino para rato. Agradece decantarlo y abrir una hora antes.

95,5 / $$$$

De la Luna Malbec 2015. Finca Blousson. Mendoza. Valle de Uco. Chacayes

VM: Nariz punzante que brinda manojo de hierbas, especias frescas y fruta negra de baya. En boca es franco, carnoso y súper fresco. Taninos firmes. Muestra mucha juventud y vigor.

AG: Otro que dejó de ser una novedad, Finca Blousson. Joven y explosivo. Carnoso, con agarre y estructura. Buena acidez, frescas hierbas y final agarrado. Decantar… tiene con qué… y se banca el locro de Perón Perón.

95,5 / $$$$

Piedra Negra Gran Malbec 2013. Piedra Negra. Mendoza. Valle de Uco. Chacayes

VM: François Lurton fue un pionero en la zona. Hoy, sus vinos reflejan el terruño que una vez soñaron. Fruta negra, hierbas, pureza y complejidad. Acidez refrescante. Es profundo, intenso, con capas y texturas. Mejor aún con un tiempito en botella.

AG: Súper Malbec, con hermosa textura, frutos negros, pimienta y especias. Fresco, delicado y con tensión. Largo y compacto final. Con el pastrón de Mishiguene.

95,5 / $$$$$

Buscado Vivo o Muerto El Manzano Malbec 2014. Bodega Buscado Vivo o Muerto. Mendoza. Valle de Uco. Chacayes

VM: Fruta roja, especias dulces y frescas. En boca es elegante, aterciopelado, fresco y de gran armonía. Co-fermentación de Malbec, Cabernet Franc y Petir Verdot.

AG: Vivo o Muerto de perfil delicado, filoso, con muy rica frescura y taninos vibrantes. Un vino que no va por el lado de la explosión. Hay que abrirlo e ir pensándolo en cada copa, lindo.

CHACAYES

Cuando probamos Chacayes, hubo un hilo conductor
bastante marcado: vinos potentes con muy buena concentración,
profundos, frescos y florales. Con gran personalidad.
Si bien es una región de la que empezamos a hablar hace poco,
sabemos, François Lurton mediante, que sus vinos evolucionan bien,
no carecen de elegancia y se sotienen por muchos años.

AG

93,5 / \$\$\$
**Cadus Appellation Chacayes Malbec
2015. Cadus Wines. Mendoza.
Valle de Uco. Chacayes**

VM: Vino compacto, con presencia de fruta negra, especias frescas y dulces y madera fresca en
balance. Es intenso y corpulento. Contiene tensión y mineralidad. Una de las procedencias de
la línea Appellation.

AG: Rico, puro, gran equilibrio, mucha fruta
roja y fresca. Buena tensión en boca y largo final.

93,5 / \$\$\$
**Cavas de Weinert Gran Vino 2006.
Weinert. Mendoza.**

VM: Es complejo, con notas de ciruela deshidratada, cuero, tierra húmeda, especias picantes
y dulces, y grafito. De acidez fresca y taninos
vivaces. Persistente. Un clásico vino argentino.

AG: Qué lindo volver a probar Cavas de Weinert en este momento tan grato de nuestra viticultura. Mantiene el estilo, es sedoso, con notas
de frutos y hongos, con elegancia. Hay complejidad e invita a pensar, clásico.

93,5 / \$\$\$
**L'Esprit de Chacayes I.G 2016.
Piedra Negra. Mendoza.
Valle de Uco. Chacayes**

VM: Primera cosecha de este vino profundo,
concentrado y súper puro. Un blend de Malbec
y Cot con la fruta como protagonista. De color
violeta intenso, muy floral, con notas de cassis.
Jugoso, denso, de taninos firmes, mineral, vertical y texturado. Final fresco y persistente.

AG: Con estilo. Muy buena concentración. Frutos negros, especias, flores. Gran volumen, taninos firmes y buen nervio. Para guardar.

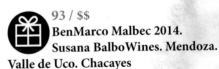

93 / \$\$
**BenMarco Malbec 2014.
Susana BalboWines. Mendoza.
Valle de Uco. Chacayes**

VM: Despliega aromas de pimienta fresca, enebro,
fruta negra y lavanda. Es aterciopelado, con texturas y agradable frescura, tensión y persistencia.

AG: Manojo de hierbas frescas y especias. Un
Malbec de estilo herbal, con gran expresión.
Redondo y muy bebible. Con tensión. Rico para
beber y atreverse al lomo con salsa bearnesa de
La Bourgogne.

CHACAYES: LA POTENCIA, LA PERSONALIDAD Y LA LONGITUD
VM.

92,5 / $$$$

Anima Mundi Petit Verdot 2014. Anima Mundi. Mendoza. Valle de Uco. Chacayes

VM: Intenso y concentrado. Fruta negra madura, notas balsámicas, especias y piel de cítricos. Su paso por roble deja su huella. Mejor con un tiempo en botella.

AG: Un Petit Verdot domado. Es rico, muy concentrado, profundo, herbal, especiado y con frutos negros. Taninos firmes y aún con la madera presente. Decantar. O, mejor, esperarlo.

92,5 / $$$$

Anima Mundi Blend 2013. Anima Mundi. Mendoza. Valle de Uco. Chacayes

VM: Maduro y concentrado, con notas balsámicas, fruta de baya, grafito y trazos de roble. Un vino con estructura, frescura media y final sabroso.

AG: Estructurado, rico. Hierbas y frutos negros. Acidez punzante y sostenido final de vainilla y especias. Tiene vida por delante.

92,5 / $$$

Alma Gemela Nº 3 Garnacha 2016. Onofri Wines. Mendoza. Valle de Uco. Chacayes

VM: Primera cosecha de Garnacha para Onofri Wines. A diferencia de otras coterráneas, esta es concentrada y estructurada. Fruta roja madura, hierbas, taninos crocantes y textura de tiza.

AG: Alma Gemela amplía su gama con este Garnacha rico, conciso, con pura fruta crujiente. Fresco y jugoso. Rico vino, invita a beber fácil.

92,5 / $$$

Petit Blousson Malbec 2016. Finca Blousson. Mendoza. Valle de Uco. Chacayes

VM: El entrada de gama de la familia Blousson ofrece una nariz perfumada y floral, donde también destaca la fruta negra fresca y pura. De taninos firmes y acidez refrescante. Sin madera.

AG: De perfil fresco y herbal, y muy perfumado en nariz, con fuerza y personalidad. Un vino que no pasa desapercibido, con la personalidad de Chacayes. Buena estructura tánica y final fresco, rico y largo. Maridaje con pechito horneado con papas y ciruelas de Urondo.

92,5 / $$$$

SuperUco Calcáreo Río Malbec 2015. SuperUco. Mendoza. Valle de Uco. Chacayes

VM: De suelos calcáreos con piedras de río y uvas orgánicas. Brinda notas de tierra húmeda, ciruelas negras y especias. Es filoso, corpulento con taninos estructurados y mineral.

AG: Un vino con personalidad, cuerpo medio. Tiene tensión. Es rico y presenta buen balance.

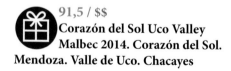

91,5 / $$
Corazón del Sol Uco Valley Malbec 2014. Corazón del Sol. Mendoza. Valle de Uco. Chacayes

91 / $$$

Cadus Apellation Los Chacayes Petit Verdot 2015. Cadus Wines. Mendoza. Valle de Uco. Chacayes

90 / $$
TintoNegro Limestone Block Malbec 2014. TintoNegro. Mendoza. Valle de Uco. Los Chacayes

88 / $$
Piedra Negra Reserve Malbec 2016. Piedra Negra. Mendoza. Valle de Uco. Chacayes

Blancos

95 / $$$
Geisha de Jade (Roussanne, Marsanne) 2016. Ver Sacrum. Mendoza. Valle de Uco. Chacayes
VM: Frutas blancas de carozo, manzana asada, mieles, flor blanca y especias. Es complejo, delicado, fino, untuoso y franco. Un blanco estructurado en el que se siente la piedra. Final seco y persistente. Corte de Roussanne y Marsanne.
AG: Delicado, licoroso, fruta blanca de carozo, miel y floral. Complejo y elegante. En boca es sedoso y fluido, con final largo y señorial.

94 / $$$$
Blanchard & Lurton Grand Vin (Tocai, Viogner, Sauvignon Blanc, Pinot Gris) 2016. Cuarto Dominio. Mendoza. Valle de Uco. Chacayes
VM: Nariz fragante donde se encuentran damascos frescos, pomelo, piña y flores blancas. En boca es franco, seco, voluminoso, mineral y fresco. Blend de Tocai, Viogner, Sauvignon Blanc y Pinot Gris.
AG: Lima, flores, fruta blanca con especias y mineral. Rico, jugoso y equilibrado. Fresco final de acidez y full de sabores. Este dúo sabe qué hacer en vinos blancos.

93 / $$$
Zaha Marsanne 2016. Teho. Mendoza. Valle de Uco. Chacayes
VM: Manzana fresca, madura y asada, mix de especias con notas de curry y jazmín. Sostiene estructura y es seco. Se siente la piedra, su acidez es fresca y su final persistente y elegante.
AG: Elegante, licoroso y especiado. Seco y con personalidad. Gran vino gastronómico.

92 / $$$
Gran Lurton 2016. Piedra Negra. Mendoza. Valle de Uco. Chacayes
VM: Fruta de carozo fresca, piña y pera jugo-

sas y flores blancas. Acidez súper fresca, sensación mineral, volumen medio, jugosidad y balance.
AG: Joven todavía, con peso en boca y pureza frutal. Acidez balanceada. Se siente aún la vainilla. Mejor estará a partir de 2019. Con capacidad de guarda.

90,5 / $$
Manos Negras Blend de Blancas, Chardonnay 2016. Manos Negras Wines. Mendoza. Valle de Uco. Chacayes

Vista Flores

Personalidad en botella

Por Juan Ubaldini / Enólogo. Propietario de El Equilibrista Wines.

Convocado por Aldo y Vale, tengo el honor de escribir algunos conceptos en torno de este terruño, que para mí es sencillamente maravilloso…

Pequeño distrito de alrededor de 5000 mil habitantes, está emplazado en el oeste del departamento de Tunuyán, al pie (literalmente) de la cordillera; "escoltado", norte y sur respectivamente, por los otros dos departamentos que componen el Valle de Uco: Tupungato y San Carlos. Podríamos dar algunas nociones vagas de su historia; por ejemplo, las familias Hinojosa, Ruano, Gargantini y Cairo, entre muchas otras, que en las primeras décadas del siglo pasado se instalaron en la zona para desarrollar las primeras viñas y bodegas del lugar. Muchas idas y vueltas hasta que, a fines de los años 90, desembarcaron inversiones extranjeras que hoy vigorizan y potencian económica y productivamente a la región, direccionándola aún más hacia una filosofía de trabajo y producción orientada hacia la calidad. Con el devenir de los años, fruto de su historia y el trabajo en conjunto entre productores oriundos, foráneos y otros actores de más corta presencia en la zona, Vista Flores es hoy uno de los terruños de mayor renombre de toda la Argentina vitivinícola.

Esta joven subregión obtuvo formalmente su identificación geográfica (IG), por parte del INV, recién en 2012. Tremendamente agraciada en sus condiciones climáticas, con amplitudes térmicas por sobre la media respecto de sus vecinos de las zonas más bajas del valle, bajas precipitaciones que cuidan la sanidad del cultivo, brisas naturales de la pendiente del pedemonte, inviernos intensos y veranos calurosos con un promedio de irradiación solar (heliofanía) casi "hecho a medida", entre otras cualidades, son una conjunción cuasi ideal en cuanto a producción vitícola.

También podríamos hablar, en base a un sinnúmero de investigaciones realizadas por técnicos privados y gubernamentales, que las características de los suelos (edafológicas) son tan privilegiadas como particulares. De origen aluvional, pobres, de escaza fertilidad, pedregosos (con diferencias de tamaño, profundidad, origen y composición mineral), de buen drenaje y, como una constante a destacar, heterogéneos. En una misma parcela se pueden encontrar lugares donde casi es imposible caminar debido al pedregal pegado a un banco de arena de 4 o 5 metros de profundidad, por tomar un ejemplo. Esto, en parte, debido a la cantidad de arroyos secos sobre los que se han realizado las plantaciones a lo largo del tiempo. A raíz de esto, las medias de producción en la zona (quintales x hectárea) son bajas y la viticultura que se aplica exige un seguimiento exhaustivo y puntilloso.

Cabría mencionar, por un lado, el recurso hídrico. Un acuífero subterráneo, del cual se sirven los pozos para realizar irrigación por goteo en la zona alta, atraviesa la zona aflorando en la meseta, en el pueblo mismo, donde se encuentran vertientes naturales. Por otro lado, destacar la edad de los viñedos, que en promedio y salvando algunas excepciones, son jóvenes, entrando en la adultez (20 años en promedio), especialmente en la zona alta.

Podríamos decir que si bien el Malbec es el cultivo que predomina (en sus diferentes versiones: clones, selecciones, franco, injertado, etc), Vista Flores cuenta con una diversidad envidiable: Merlot, Cabernet Sauvignon y Franc, Syrah, Petit Verdot, Pinot Noir, Chardonnay, Sauvignon Blanc, Pinot Gris, son algunas de las cepas más plantadas, además de una cantidad no despreciable en hectáreas de cepas "no tradicionales". La superficie cultivada en este particular y apreciado terruño va en aumento año a año.

Analizando individualmente los factores constituyentes del terruño, podemos concluir que están dadas las condiciones para lograr vinos de altísima calidad. Y cuando tomamos distancia del análisis técnico individual y hacemos foco en la conjunción de todos esos factores, vivimos la increíble experiencia de descubrir año tras año, cosecha tras cosecha, un terroir verdaderamente único, que da vinos formidables en cuanto a calidad y con una personalidad inconfundible, llenos de fuerza y elegancia, vinos de frutas negras, de hierbas, de texturas sabrosas y tanicidades briosas, vinos que nos llevan a experiencias tremendamente placenteras, que marcan una diferencia importante.

Vista Flores en una copa, hecha vino, es una región inconfundible, inequívoca y maravillosa (¡ya lo dije antes, lo sé!). En mi opinión, es lo que tiene ese enorme valor agregado, que deja subjetividades a un lado para volverse realidad en una botella. ¡Salud!

VISTA FLORES

Vista Flores muestra vinos profundos, concentrados y compactos, con gran capacidad de guarda demostrada.
AG.

Tintos

94 / $$$$

Cuvelier Los Andes Grand Vin 2012. Cuvelier Los Andes. Mendoza. Valle de Uco. Vista Flores

VM: Complejo, con capas y matices de aromas y sabores maduros, especiados y tostados. Es un vino corpulento, amplio, de paso firme e intenso. Trasvasar.

AG: Compendio de frutos negros y gran estructura, con tensión y fresca acidez. Un vino con buen peso y balance al mismo tiempo. Decantar.

92,5 / $$

Cuvelier Los Andes Cabernet Sauvignon 2015. Cuvelier Los Andes. Mendoza. Valle de Uco. Vista Flores

VM: De viñas plantadas a partir de 1999 y realizado en una de las bodegas que conforman el grupo Clos de los Siete, este Cabernet se presenta concentrado, profundo y con marcada tipicidad. Cassis, pimiento rojo, ahumados, laurel. Expresa su zona. Un vino para guardar.

AG: Súper Cabernet concentrado, domina la fruta negra y aún se siente la madera. Es equilibrado, con complejidad y largo final. Un estilo bien definido. Gran potencial de guarda en un vino de franja media.

92,5 / $$$

Llevame Volando a la Luna Malbec 2014. Cuvelier Los Andes. Mendoza. Valle de Uco. Vista Flores

VM: Opera prima de Pablo Molinengo con Adrián Manchón, resulta un vino compacto, tenso y concentrado. Un Malbec con gran expresión de zona, de fruta roja madura y corpulencia que le otorga potencial de guarda. ¡Bien Vista Flores!

AG: Novedad del inquieto Pablo Molinengo. Concentrado pero con pureza de fruta negra, buen agarre y amplio en boca. Taninos firmes y gran potencial de guarda (2018-2035). Me le animo con el jamón Pata Nengra de Damblee.

92,5 / $$$

Antucura Grand Vin 2010. Mendoza, Valle de Uco. Vista Flores

VM: Maduro y profundo. Expresa grafito, tiene capas y su crianza en roble le aporta notas de madera fresca que lo completan. Final sabroso.

AG: Tiene potencia y aún frescura y balance, a pesar de sus años. Frutos negros, especias, madera integrada, texturas y conserva vivacidad. Mejor decantado.

92,5 / $$$

Claroscuro Gran Malbec 2015. Claroscuro. Mendoza. Valle de Uco. Vista Flores

VM: Violetas, ciruela madura y chocolate negro. Es concentrado, con taninos robustos y frescura media. Final persistente. 6 % de Cabernet Franc y Petit Verdot.

AG: Potente y jugoso, con frescura y balance. Rica fruta, taninos firmes y compactos. Se recomienda decantar.

 92,5 / $$

Gira Mundo Vista Flores Malbec 2014. Giramundo. Mendoza. Valle de Uco. Vista Flores

VM: Especiado y floral, con notas que remiten a las rosas, al grafito, al regaliz y a la vainilla. En boca es concentrado y profundo. Tiene textura mineral y persiste.

AG: Buena concentración floral y jugoso.

 92,5 / $$

Diamandes Malbec 2014. Dimandes de Uco. Mendoza. Valle de Uco. Vista Flores

VM: Fruta negra, especias, concentración y amplitud. Se destaca por su impactante presencia en boca. Madera integrada. Equilibrado.

AG: Linda expresión y complejidad. Floral, buena pureza frutal y amplio de aromas, con una acidez que lo acompaña y refresca. Madera bien integrada, final rico y largo. Best buy. Ideal con el asado banderita de Hapenning.

92,5 / $$$$

Siesta en el Tahuantinsuyo Single Vineyard Malbec 2013. Ernesto Catena Vineyards. Mendoza. Valle de Uco. Vista Flores

VM: Aromas de violetas y fruta negra. En boca se expresan las especias dulces y la madera de roble en balance. Sabroso y con capas de texturas. Persistente.

AG: Jugoso, fresco y balanceado. Muy bebible y sin aristas duras, terso y sedoso.

92 / $

Finca La Coti Malbec 2016. Finca La Coti. Valle de Uco. Vista Flores

VM: Super frutado y floral. Un vino directo, jugoso y expresivo.

AG: Por este precio difícil encontrar esta pureza de fruta. Rico jugoso y preciso.

 PRODUCTORES INTERESANTES: Cuvelier Los Andes, Monteviejo, Antucura, Diamandes, Ernesto Catena, Claroscuro, Giramundo.

92 / $$$
Claroscuro Gran Pinot Noir 2016.
Claroscuro. Mendoza. Valle de Uco.
Vista Flores
VM: Concentración de fruta madura y fresca, sotobosque, regaliz y madera integrada. Es redondo, de cuerpo medio, integrado, franco y persistente.
AG: De estilo apretado, con agarre. Se siente un poquito la madera. Tiene estructura y al mismo tiempo es bebible y con fruta. Balanceado.

92 / $$$$
Lindaflor Blend 2010. Monteviejo.
Mendoza. Valle de Uco. Tunuyán
VM: Nariz que despliega concentración de fruta madura, grafito, especias dulces, roble y popurrí de flores. Es profundo, complejo, carnoso, texturado y de estructura firme. Final largo. Trasvasar
AG: Rico, se lo nota joven aún siendo 2010 con fruta bien marcada y la barrica integrada
Pide decantar. Todavía se lo puede seguir guardando, resta suavizar.

92 / $$
Clos de los Siete 2014.
Clos de los Siete. Mendoza.
Valle de Uco. Vista Flores
VM: Resultado del aporte de 4 familias lideradas por Michel Rolland, nace este corte con base de 54 % Malbec. Es concentrado, intenso, con gran expresión de fruta negra y roja madura, y elegante paso por roble francés. Corpulento y estructurado. Valioso potencial de guarda.
AG: Ya es un clásico, con más de 1.000.000 de botellas de calidad. Agarrado, compacto, con muchos frutos negros y especias. Tiene gran potencial de guarda.

92 / $$
UL Cabernet Franc 2016.
Familia Scotti. Mendoza.
Valle de Uco. Vista Flores
VM: De un emprendimiento familiar mendocino nace este Cabernet Franc de interesante complejidad. Ofrece especias, fruta negra y grafito. Es estructurado y carnoso, con taninos en balance y acidez fresca.
AG: Herbal y fresco, elegancia, buen paso por boca y equilibrio. Buena acidez y textura final.

91,5 / $
Sabandijas Finca La Coti 2016.
Valle de Uco. Vista Flores

91,5 / $$$
Durigutti Reserva Petit Verdot 2012.
Familia Durigutti. Mendoza.
Valle de Uco. Vista Flores

91,5 / $$$
Cuvelier Los Andes Colección 2014.
Mendoza. Valle de Uco. Vista Flores

91 / $$
Tani Single Vineyard Cabernet
Franc 2015. Antucura. Mendoza.
Valle de Uco. Vista Flores

91 / $$
Yepun Single Vineyard Malbec
2015. Antucura. Mendoza.
Valle de Uco. Vista Flores

90,5 / $$$
Gran Callejón del Crimen Winemaker
Selection 2015. Finca La Luz. Mendoza.
Valle de Uco. Vista Flores

90,5 / $$$
Huarpe Vista Flores Terroir 2013.
Huarpe. Mendoza. Valle de Uco.
Vista Flores

90,5 / $
Diamandina Malbec 2015.
Dimandes de Uco. Mendoza.
Valle de Uco. Vista Flores

90 / $$
Claroscuro Malbec 2016.
Claroscuro. Mendoza. Valle de Uco.
Vista Flores

90 / $$
Claroscuro Cabernet Franc 2016.
Claroscuro. Mendoza. Valle de Uco.
Vista Flores

90 / $$
Callejón del Crimen Gran Reserva
Petit Verdot 2015. Finca La Luz.
Mendoza. Valle de Uco. Vista Flores

90 / $$$
Callejón del Crimen Gran Reserva
Merlot 2015. Finca La Luz.
Mendoza. Valle de Uco. Vista Flores

90 / $$
Durigutti Petit Verdot 2015. Durigutti.
Mendoza. Valle de Uco. Vista Flores

89,5 / $$$$
Trez Gran Reserva Malbec 2011.
Deumayén Wines. Mendoza.
Valle de Uco. Vista Flores

89,5 / $$
Callejón del Crimen Gran Reserva
Sangiovese 2015. Finca La Luz.
Mendoza. Valle de Uco. Vista Flores

89,5 / $$
Blend Selection (Merlot, Cabernet
Sauvignon, Malbec) 2012.
Antucura. Mendoza. Valle de Uco.
Vista Flores

89 / $$
Cuvelier Los Andes Merlot 2015.
Cuvelier Los Andes. Mendoza.
Valle de Uco. Vista Flores

89 / $$
Kaiken Terroir Series Blend 2015.
Kaiken Wines. Mendoza. Valle de Uco.
Vista Flores

VISTA FLORES: LA FIRMEZA, LA ESTRUCTURA Y LA PERSISTENCIA.
VM.

Blancos

92 / $$$
Cadus Appelation Vista Flores Chardonnay 2016. Cadus Wines. Mendoza. Valle de Uco. Vista Flores
VM: Perfumado y complejo, con expresión de fruta blanca fresca y de carozo maduras. Su paso elegante por roble le brinda volumen y matices. De acidez fresca, es texturado y persistente.
AG: Perfil fresco. Puro y honesto Chardonnay. Balanceado y sin nada de más, fruta blanca y hierbas, jugoso y fluido.

Espumantes

88 / $$$
Lagarde Método Champenoise Blanc de Pinot Noir. Lagarde. Mendoza. Valle de Uco. Vista Flores

Norte Argentino

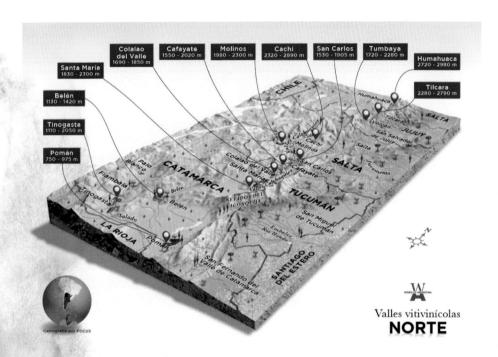

Valles vitivinícolas
NORTE

Gentileza Wines of Argentina

Valles Calchaquíes

Viñedos y vinos de alta elevación

Por Alejandro Pepa / Enólogo de Bodega El Esteco.

Agradezco a Aldo y Valeria por darme la posibilidad de expresar estas palabras y también al Ing. Agr. Francisco Tellechea y al Lic. Claudio Maza, compañeros de trabajo. Intentaré expresar lo que conozco y lo que pienso de este bello Cafayate, en los Valles Calchaquíes, donde vivo con mi familia y trabajo en el equipo de enología de Bodega El Esteco.

Desde joven vi al Norte como un lugar remoto, lejano. Y lo es, estamos bastante "alejados de todo" y eso es parte del encanto. A más de 1.050 km al norte de la ciudad de Mendoza y más de 1.300 km de Buenos Aires, estos valles se encuentran bien separados incluso de las ciudades más cercanas, como Salta y Tucumán.

Los Valles Calchaquíes, un sistema de valles y montañas, se extienden de sur a norte ocupando tres provincias: centro de Salta, extremo oeste de Tucumán y noreste de Catamarca. Se formaron hace 5 millones de años por la reactivación de fracturas geológicas que produjo el ascenso de los bloques de las Sierras del Aconquija al este y las del Cajón o Quilmes al oeste. El Valle Calchaquí se sitúa entre ambas sierras, con un ancho máximo aproximado de 30 kilómetros y un largo algo mayor a 290 km.

Hace aproximadamente 1 millón de años se produjeron sucesivos períodos secos y lluviosos que originaron distintos niveles aterrazados, con diversos depósitos de pie de monte y, en consecuencia, diversas calidades y tipos de suelo.

Dos ríos principales recorren el Valle: el Calchaquí de norte a sur y, en sentido opuesto, el río Santa María, de sur a norte. Ambos confluyen cerca de Cafayate, formando el río de las Conchas, que con su fuerza y acción fue creando la quebrada del mismo nombre. Y hay otros ríos y arroyos secundarios que hacen posible la vida en los Valles, como los ríos Chuscha, Loro-huasi, Yacochuya y San Antonio.

Toda esta región es considerada uno de los valles vitivinícolas más altos del mundo. Su altura mínima la vemos a 1.660 msnm y encontramos viñedos implantados allí y hasta

3.110 msnm. Esta altura se manifiesta en una gran diversidad en el potencial de las uvas y sus concentraciones, colores, aromas y sabores en los vinos producidos en la región.

Cualquiera sea el acceso elegido para entrar al Valle, inevitablemente hay que atravesar las cadenas montañosas y sus paisajes de colores increíbles: montañas, plantas autóctonas, algarrobos, rocas rojizas, arena, cardos, ríos y arroyos dan vistas bellísimas. Sea que ingresemos desde Salta, atravesando la Quebrada de las Conchas, o desde Tucumán, cruzando Tafí del Valle y El Infiernillo, descubrimos no solo un camino encantador, sino que vemos el efecto protector que las montañas ejercen sobre el Valle, pasando de zonas con humedad y vegetación subtropical a otra desértica y con escasez total de humedad. La famosa Ruta 40 atraviesa los Valles casi en su totalidad. El recorrido permite visitar los viñedos y degustar los vinos de sur a norte, arrancando por Hualfín y continuando por el sorprendente Chañar Punco, Colalao del Valle, Tolombón, Cafayate, Animaná, San Carlos, Angastaco, Molinos (Colomé–Tacuil), Cachi y Payogasta. Cada uno con su identidad, pero manteniendo una tipicidad regional concedida por las características climáticas constantes a lo largo de su extensión.

Cafayate, el corazón de los Valles

Pequeña ciudad ubicada a 186 km de la ciudad de Salta, capital de la provincia. El paisaje de Cafayate sorprende con sus montañas, formaciones rocosas, quebradas y cerros multicolores. El clima continental, árido y seco, brinda una amplitud térmica de entre 18.2 y 20°C. La gran altitud y escasa humedad en la atmósfera provoca el calentamiento del suelo durante el día y un marcado enfriamiento durante la noche. Las lluvias son escasas y se concentran en el verano, por eso es imprescindible recurrir al riego suplementario y controlado en los viñedos, con el agua de los ríos o agua subterránea extraída de pozos.

Cafayate cuenta con dos series de suelos: la serie Cafayate de textura areno-francosa, profundo, con algunos estratos ripiosos a partir de 1,5 m de profundidad; y la serie Tolombón, sector contiguo a la sierra de Quilmes, con suelos mucho más pedregosos. Cada tipo entrega diferentes componentes minerales y aportan propiedades únicas a las vides, permitiendo que éstas tengan un crecimiento distintivo en cada zona.

Los vientos del Noreste son algo más húmedos y menos frecuentes. Los típicos corren en julio–agosto, son cálidos y secos y aparecen desde el Norte. Algunos vientos locales, afectados por la amplitud térmica diaria, con brisas hacia el oeste durante la mañana y hacia el este durante la tarde, originan algunas turbulencias o remolinos y otorgan una sensación de baja humedad permanente.

La combinación de estos factores climáticos y geográficos: la altitud, el sol, la variación de la temperatura, la gran amplitud térmica entre día y noche, la diversidad de suelos, las pocas lluvias, los vientos típicos... sumados a la tradición y pasión vitivinícola transmitida de generación en generación, hacen de Cafayate, y en general de los Valles

Calchaquíes, un lugar único y soñado en el mundo para el cultivo de uvas de gran calidad y la elaboración de vinos extraordinarios y diferenciados.

La unión de estos factores hace que, durante los últimos meses del período de maduración de la uva, enero a abril según las variedades, los racimos logren muy buena madurez con alta sanidad, permitiendo una importante concentración de taninos, colores, aromas y sabores en los vinos.

Uvas y vinos de gran intensidad

Sin duda, el Torrontés es la uva varietal blanca insignia de Argentina. A lo largo de todo el Valle encontramos gran cantidad de hectáreas plantadas con Torrontés, la mayoría bajo el sistema típico de conducción: los parrales. Realizando un buen manejo de la canopia de estos parrales, se protege a los racimos del sol, entregando frescura en el momento de cosecha. Los racimos de Torrontés son grandes, con granos de medianos a grandes, de color amarillo verdoso.

Los vinos tienen gran personalidad, generalmente se presentan con colores amarillos de media intensidad con notas levemente verdosas y destellos pálidos, con aromas florales dulces, flor de naranjo, o frutados, y con notas delicadamente cítricas, como pomelo o cáscara de naranja. En boca se presentan frescos, vibrantes, con sensación de entrada dulce pero final muy fino y refrescante.

Es una variedad noble y los trabajos que se están realizando son increíbles y con un gran abanico de posibilidades: vinos tranquilos, reservas, con roble, con cemento 100 %, dulces naturales, tardíos y espumantes.

Se destacan también los otras variedades blancas tradicionales, como el Chardonnay o Sauvignon Blanc. Y están apareciendo novedades, como el Roussanne o el Marsanne para utilizarse en vinos de cortes.

Los tintos norteños se expresan de manera increíble. Con muchísima concentración, gran intensidad de color, muy expresivos aromáticamente y con gran fuerza de boca. Los Malbec son casi negros, muy profundos, con notas violáceas brillantes en los bordes. Sus aromas mezclan los tradicionales frutos rojos, ciruelas maduras con leves notas florales, de albahaca o especias. En boca presentan gran estructura, fruta madura y, según la fecha de cosecha, encontramos mucha frescura o gran concentración de cuerpo con taninos generalmente maduros.

El Cabernet Sauvignon es muy particular en el norte. Por lo general presenta color rojo rubí intenso con bordes levemente teja. El aroma tradicional que prevalece es el pimiento morrón, especias, pimienta. Son aromáticamente intensos. Tienen una boca concentrada, dulce y de muy buena estructura tánica, casi siempre presente.

El Tannat es increíble. Intenso, los técnicos debemos tener paciencia y cuidados tanto en la decisión del punto de cosecha como durante el proceso de elaboración. Se trabaja cuidando su intensidad de manera de "no sobreextraer" durante las maceraciones y lograr así Tannat poderosos pero lindos de tomar. Generalmente son casi negros y profundos, no permiten el paso de la luz a través de la copa. Frutos negros, chocolate y tinta china suelen ser descriptores comunes. En boca dependen de la maceración elegida, pero solemos encontrar mucha estructura con taninos presentes.

Dos variedades que continuarán sorprendiendo tanto en su utilización varietal o en cortes son el Cabernet Franc y el Merlot, este último traerá lindas sorpresas a futuro.

En menor medida, pero manteniendo la tradicional potencia norteña y de los Valles, encontramos Syrah, Pinot Noir y Bonarda.

Los estamos esperando

Sin duda, estamos lejos, pero es un gran lugar para visitar, para llenarse el alma de colores, de sol y aromas. Disfrutar de una gran gastronomía con sus cabritos al horno, sus empanadas típicas, el locro pulsudo, las humitas y los tamales, los quesillos de cabra con dulces típicos, con nueces o almendras. Y, por supuesto, acompañar el momento con grandes y especiales Vinos de Altura.

¡Salud!

VALLES CALCHAQUÍES

Hasta no hace mucho, encarar una botella de vino de esta región y bajarla entre cuatro personas se hacía cuesta arriba dada su potencia, sobremadurez y concentración. De la mano de proyectos como El Esteco, Etchart, Estancia los Cardones, Fernando Dupont y muchos otros, los vinos tienen una frescura y una fluidez asombrosa, sin perder carácter sino todo lo contrario. Creo que ganaron en elegancia. Hay trabajo por delante, pero no dudo que en poco tiempo vamos a tener varios vinos de los Valles Calchaquíes en el Top 20.

AG.

Salta

Tintos

95 / $$$$

Laborum Altos Los Cardones Malbec 2016.
El Porvenir. Salta. Cafayate

VM: Un lugar único, Chañar Punco da y dará mucho de qué hablar. Este vino muestra gran complejidad; ofrece fruta fresca, especias, hierbas y tabaco. De acidez refrescante, taninos rugosos, textura en capas y final seco.

AG: Profundo y concentrado, va mostrando de a poco su potencia. Gran pureza frutal, tensión y volumen; taninos firmes y gran balance. Un vino de guarda que está rico ahora también. Muestra todo el potencial de Cafayate.

93,5 / $$$$
Arnaldo B Gran Reserva 2013. Etchart. Salta. Cafayate

VM: Predominan las especias, con aromas de fruta negra madura, tabaco rubio y especias frescas y dulces. Este corte de uvas localizadas a más de 1.700 msnm se presenta rico en sabores y texturas. Taninos pulidos, acidez fresca, balance y paso elegante.

AG: Elegante, complejo y jugoso. Rico y con buena concentración de fruta, buena acidez y final largo y frutal.

93,5 / $$$$
Fincas Notables Cuartel N° 9 Malbec 2014. El Esteco. Salta. Cafayate

VM: Selección de los mejores cuarteles de las mejores fincas para este Malbec de color violeta profundo y nariz fragante, donde la fruta es protagonista. Es un vino vivaz, de agradable frescura, leve dulzor de Malbec y taninos pulidos. Persistente.

AG: Color muy concentrado, vivaz, frutos negros y especias, con toque mineral y taninos apretados. Buena tensión y rico final. Agradece decantador.

93 / $$$$
Fincas Notables Cuartel N° 9 Cabernet Sauvignon 2014. El Esteco. Salta. Cafayate

VM: Fruta negra, pimiento, nuez y especias frescas. Con gran impacto en boca, es seco y de columna firme. Mejor aún con un tiempo en botella.

AG: Rico, con tensión, concentrado y equilibrado. Herbal y especiado. Con lindo peso en boca. Recomiendo decantar.

93 / $$$$
El Esteco Altimus Gran Vino 2012. El Esteco. Salta. Cafayate

VM: Un vino que conserva el clásico perfil de Altimus. Es punzante, con gran concentración de fruta y perfil amaderado. Notas de fruta negra, especias dulces, ahumados y tostados. Potente y compacto.

AG: Buena textura y concentración, balanceado y fresco. Compacto aun teniendo en cuenta que es un 2012. Mejor decantar.

93 / $$$$
Fincas Notables Cuartel N° 28 Tannat 2014. El Esteco. Salta. Cafayate

VM: Fruta de baya y ciruela madura, chocolate negro, pimiento y especias. Es corpulento, de acidez fresca, taninos firmes y final prolongado. Atractiva expresión de Tannat de zona.

AG: Concentrado, fresco y con volumen. Frutos negros, terroso y con toque herbal. Se banca y se bebe bien a pesar de su estructura potente.

93,5 / $$$
El Esteco Old Vines 1947 Cabernet Sauvignon 2016. El Esteco. Salta. Cafayate

VM: De viñas viejas, expresivo Cabernet de taninos firmes y de gran sabor. Es mentolado, con notas de tabaco, especias y fruta negra. Sin madera. Mejor si le damos un tiempo en botella.

AG: Punzante y vibrante Cabernet de Cafayate. Con diferentes texturas, filoso y final de taninos firmes, fruta roja y especias. Rico y novedoso para el lugar.

92,5 / $$$$

**Fincas Notables Cuartel Nº 5
Cabernet Franc 2014. El Esteco.
Salta. Cafayate**

VM: Notas de pimiento rojo y verde, paprika, ahumados. Su estructura es firme y sus taninos robustos. Es complejo, elegante y con franca expresión de terruño.

AG: Digno Cabernet Franc de Salta. Austero pero con terroir, vegetal terroso y equilibrado. Buena textura y taninos firmes

92,5 / $$$

**El Esteco Cabernet Sauvignon 2014.
El Esteco. Salta. Cafayate**

VM: Nariz picante con gran presencia de fruta, hierba fresca y madera sutil en equilibrio. Corpulento y de taninos firmes. ¡Un Cabernet bien salteño!

AG: Cabernet concentrado pero muy puro, frutos rojos, especias y tierra. Buena estructura y acidez balanceada. Decantar o guardar un tiempo, hay vino.

92,5 / $$$$

**Laborum Single Vineyard Finca Río
Seco Cabernet Sauvignon 2015.
El Porvenir. Salta. Cafayate**

VM: De gran profundidad aromática, con envolvente fruta, notas tostadas aportadas por la madera de roble y especias. En boca entra dulce y contundente. De taninos firmes, cuerpo intenso y persistente. Proviene de viñas plantadas en la finca Río Seco.

AG: Un vino compacto, con notas vegetales, frutos negros y café. Taninos firmes y buena acidez. Final cálido y agarrado. Decantar.

92,5 / $$$

**Estancia Los Cardones
Tigerstone Malbec 2014.
Anko. Salta. Tolombón**

VM: Pura fruta en este Malbec salteño de suelo compuesto por granito y piedra caliza. Leves notas de hierbas frescas lo acompañan. Es fresco, fluido y con taninos pulidos.

AG: Un vino fresco, terroso, mineral, herbal y con buena pureza frutal. Redondo en boca y con gran balance.

 **92 / $$
Anko Flor de Cardon Malbec
2015. Anko. Salta.
Tolombón**

VM: Proveniente de los Valles Calchaquíes, este Malbec conserva la nobleza de la zona de donde proviene. Tiene estructura y taninos firmes, es seco, con texturas, y la fruta se siente pura. ¡Siempre me gusta este vino!

AG: Buena frescura y textura, fruta pura y acidez que acompaña. Bienvenidos los vinos frescos de los valles calchaquíes

92,5 / $$$

**El Esteco Old Vines 1946
Malbec 2016. El Esteco.
Salta. Cafayate**

VM: Datan de 1946 los primeros registros de las plantas que le dan vida a este Malbec. Es intenso, con fruta madura y especias. Taninos pulidos, estructura que sostiene, agradable frescura y final seco y balanceado. Sin paso por madera.

AG: Joven, vivaz, con estructura y peso en la boca. Notas salinas y toque vegetal típico del lugar. Rico y con buen futuro.

92 / $$$$

Sunal Malbec 2014. Bad Brothers. Salta. Valles Calchaquies

VM: Bomba de fruta para este vino profundo y concentrado. Su paso por madera lo completa y le aporta matices. Es corpulento y estructurado. Beber o guardar.

AG: Profundo e intenso, con elegancia. Taninos tersos y rico en boca. Con la madera aún presente, mejorará con un poco de botella. Mejor decantar.

92 / $$$

Quara Viña El Recuerdo Single Vineyard Tannat 2014. Finca Quara. Salta. Cafayate

VM: De color intenso, notas herbales y de pimiento verde, con aromas especiados y de fruta madura. De cuerpo medio/alto, textura pulida y taninos maduros. Persistente. Viñedo El Recreo está ubicado en Cafayate, a 1.700 msnm.

AG: No todos los Tannat son duros, el Quara se presenta con volumen pero a la vez jugoso y firme. Es bebible aún en su final firme de Tannat.

92 / $$$

El Esteco Old Vines 1958 Criolla 2016. El Esteco. Salta. Cafayate

VM: Entre parrales de Torrontés se encuentran estas viejas viñas. Frutilla fresca, hierbas, piedra y rosas. Es jugoso, seco, puro, liviano, mineral y súper bebible. Sin madera. Noble expresión de una de las Criollas más antiguas del país.

AG: Lindo estilo. Jugoso, suave, lo que se dice "un vino de sed". Es una opción distinta entre los vinos de los Valles Calchaquíes. Pulido y fácil de beber. El rescate de una variedad olvidada. Tomarlo joven.

91,5 / $$

Ciclos Icono 2014. El Esteco. Salta. Cafayate

91 / $$

Abras Malbec 2015. Altocedro. Salta. Cafayate

91 / $$$

El Esteco Malbec 2014. El Esteco. Salta. Cafayate

91 / $$

Cafayate Gran Linaje Cabernet Sauvignon 2015. Etchart. Salta. Cafayate

90 / $$

Cafayate Gran Linaje Malbec 2015. Etchart. Salta. Cafayate

90 / $$

Alpaca Malbec 2015. Finca Quara. Salta. Cafayate

89,5 / $$

Don David Reserva Cabernet Sauvignon 2016. El Esteco. Salta. Cafayate

89,5 / $$$

Facón Selection Cabernet Sauvignon 2015. Bad Brothers. Salta. Cafayate

88,5 / $$

Don David Reserva Malbec 2016. El Esteco. Salta. Cafayate

88,5 / $$
Cafayate Vino de Altura Cabernet
Sauvignon 2016. Etchart. Salta. Cafayate

88 / $$
Amauta Absoluto Tannat 2016.
El Porvenir. Salta. Cafayate

88 / $$
Cafayate Reserve Cabernet
Sauvignon 2015. Etchart. Salta.
Cafayate

Blancos

 92,5 / $$
Cafayate Gran Linaje Torrontés
2016. Etchart. Salta. Cafayate

VM: Despliega lima, piel de cítricos, flores blancas y lemongrass. Acidez fresca, con final seco y
perfumado. Un Torrontés de alta gama que re-
fleja el sol de Cafayate.
AG: Un vino intenso y delicado, con mix de perfumes, toque cítrico, fruta blanca y floral. Preciso paso por boca.

92 / $$$
El Esteco Old Vines 1945 Torrontés
2016. El Esteco. Salta. Cafayate

VM: Proveniente de parrales viejos, ofrece mu-
cha tipicidad. Clásica uva blanca fresca, piel de
cítricos, flor de azahar y leves notas de tomillo y
cedrón. Es fresco y de final delicado.
AG: Gran exponente de la variedad. Delicado,
sutil, floral y pèrfumado. En boca es sedoso,
seco y sostenido. Se banca un par de años.

90,5 / $
Ciclos Torrontés 2016. El Esteco.
Salta. Cafayate

 91 / $$
Laborum Single Vineyard
Oak Fermented Torrontés 2016.
El Porvenir. Salta. Cafayate

89,5 / $$$
Quara Viña La Esperanza Single
Vineyard Torrontés 2015. Finca Quara.
Salta. Cafayate

89,5 / $$
Kaiken Terroir Series Torrontés 2016.
Kaiken. Salta. Cafayate

89 / $$
Pasarisa Salta Torrontés 2015.
Bodega La Libertad. Salta. Cafayate

88,5 / $$
Alpaca Torrontés 2015. Finca Quara.
Salta. Cafayate

88 / $$
Cafayate Reserve Torrontés 2015.
Etchart. Salta. Cafayate

NORTE ARGENTINO: LA FRANQUEZA, EL SOL Y LO ESENCIALMENTE DIFERENTE.
VM.

Dulces

88 / $$
Cafayate Gran Linaje
Cosecha Tardía Torrontés 2015.
Etchart. Salta. Cafayate

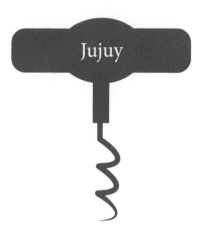

Jujuy

Rosados

88 / $$
**Rosa de Maimará 2016.
Fernando Dupont. Jujuy.
Quebrada de Humahuaca**

Blend de autor

Catamarca

Tintos

96 / $$$$
TK10 Chañar Punco Malbec 2015.
El Esteco. Catamarca. Valles Calchaquies

VM: Violeta profundo e intenso. Especiado, con hierbas, fruta negra madura y fresca y lavanda. De gran porte, con taninos aterciopelados, acidez fresca y texturado. Para beber o guardar.

AG: Un terroir distinto, un vino complejo y concentrado, con notas de tierra, mineral, frutos negros y pimienta. Taninos firmes y mucha tensión, carnoso y delicado al mismo tiempo. Vinazo. Potencial de guarda 2018-2034.

TOP 20

95 / $$$$
El Esteco Chañar Punco 2013.
El Esteco. Catamarca. Valles Calchaquíes

VM: Nariz fragante con notas de especias frescas, ciruela negra y flores blancas silvestre. En boca contiene frescura, estructura y sostén. Es vertical y muy persistente. ¡Hermoso vino calchaquí!

AG: Rico. Floral, con capas de sabores, buena textura, jugoso y con pureza frutal. Hay especias, tensión y gran balance. Joven aún, pero mostrando todo de entrada. Con ribs de Kansas. Decantar.

94,5 / $$$$
Pasacana Vinificacion Integral 2014.
Fernando Dupont. Jujuy.
VM: Fruta madura, olivas negras, pimiento rojo asado, mix de especias y ahumado. En boca es franco, balanceado, corpulento, vigoroso, con expresión de zona y final prolongado.
AG: Jujuy dejó las promesas de lado y muestra ya grandes vinos. El Pasacana tiene especias, hierbas y mineralidad. Buena interpretación del lugar. Rico y filoso, concentrado y jugoso.

93 / $$$$
Pasacana Blend 2014. Fernando Dupont.
Jujuy. Quebrada de Humahuaca
VM: De Maimará, Jujuy. A 2.250 msnm se encuentran estas vides maravillosas que resultan en un vino de color profundo, con gran presencia de fruta negra madura, hierbas, notas de pimiento, especias y roble. En boca es concentrado, con taninos rugosos y potentes. Persistente.
AG: Un vino profundo, concentrado, rico. Con notas especiadas, un touch salino y vegetal. Buena acidez y agarre. La madera está presente pero jugando bien su rol. Una zona que deja de ser promesa y empieza a mostrar consistencia.

91,5 / $$$$
Sikuri Syrah 2013. Fernando Dupont.
Jujuy. Quebrada de Humahuaca

90 / $$
Punta Corral Blend 2014.
Fernando Dupont.
Jujuy. Quebrada de Humahuaca

89 / $$$$
Aguayo Malbec 2013. Lanús Wines.
Catamarca. Hualfin

Cuyo / Centro

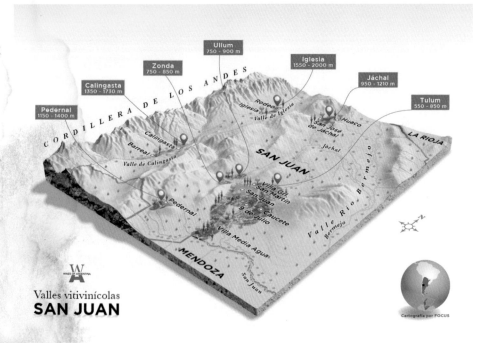

Pedernal
1150 - 1400 m

Calingasta
1350 - 1730 m

Zonda
750 - 850 m

Ullum
750 - 900 m

Iglesia
1550 - 2000 m

Jáchal
950 - 1210 m

Tulum
550 - 850 m

CORDILLERA DE LOS ANDES

Iglesia

Rodeo

Valle de Iglesia

San José
de Jáchal

Huaco

Jáchal

LA RIOJA

Calingasta

Barreal

Valle de Calingasta

SAN JUAN

Valle Río Bermejo

Pedernal

Villa Gro.
San Martín

San Juan

9 de Julio

Caucete

Villa Media Agua

San Juan

MENDOZA

Cartografía por FOCUS

Valles vitivinícolas
SAN JUAN

Gentileza Wines of Argentina

San Juan

PRODUCTORES INTERESANTES:
Pyros, Xumek, Cara Sur

Tintos

93 / $$$$
Xumek Single Vineyard
Malbec 2015. Xumek Sol Huarpe.
San Juan. Zonda
VM: Se perciben notas de fruta roja madura, notas florales y especias dulces. Vino compacto, intenso, balanceado y persistente.
AG: Rico, jugoso, goloso. Con fresca fruta roja. Buena acidez y tensión. Taninos tersos y largo final. Muy bebible

92 / $$$$
Pyros Single Vineyard Black N°4
Malbec 2013. Pyros Wines. San Juan.
Valle de Pedernal
VM: Expresa ciruela madura, tomillo y especias. De taninos pulidos, agradable frescura y estructura sostenida. Final sabroso y equilibrado.
AG: Aún apretado pero con buena fruta, especias y madera en equilibrio. Tenso y con gran estructura. Decantar.

SAN JUAN

Hay un trabajo serio de investigación,
sobre todo en Valle de Pedernal.
Creo que se le está encontrando la vuelta
a una región que siempre dio buenos vinos.
Espero fervientemente que en poco tiempo
tengamos vinos de excelencia,
con identidad y frescura.
AG.

92 / $$$$
Pyros Special Blend (Malbec, Syrah, Cabernet Sauvignon) 2012. Pyros Wines. San Juan. Valle de Pedernal
VM: Predominantemente especiado y herbal. En boca es amplio y voluptuoso. De acidez fresca y taninos robustos. Se desarrollará con un tiempo en botella.
AG: Concentrado, audaz y herbal. Fresco, con buena madurez de fruta. Se percibe intenso y con taninos firmes.

90 / $$$
El Guardado. Un vino Imposible 2012. La Guarda. San Juan. Valle de Pedernal

89,5 / $$
Violinista Cabernet Franc 2014. Violinista. San Juan. Valle de Pedernal

89,5 / $$
Xumek Sol Huarpe Reserva 2015. Xumek Sol Huarpe. San Juan. Zonda

89 / $$
Pyros Syrah 2015. Pyros Wines. San Juan. Valle de Pedernal

89 / $$
Xumek Single Vineyard Syrah 2015. Xumek Sol Huarpe. San Juan. Zonda

Blancos

88 / $$
**Xumek Single Vineyard
Chardonnay 2016.
Xumek Sol Huarpe. San Juan**

Espumantes

88 / $$
**Xumek Extra Brut
Xumek Sol Huarpe.
San Juan**

SAN JUAN: LA BÚSQUEDA, EL CONTRASTE, LO LATENTE
VM.

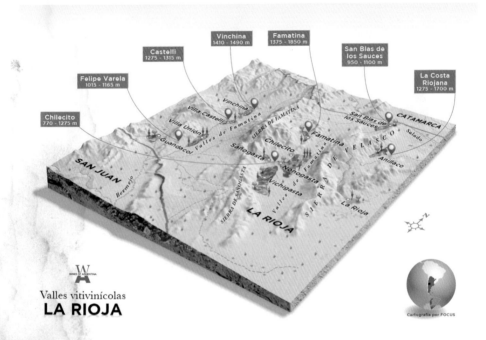

Felipe Varela
1015 - 1165 m

Castelli
1275 - 1315 m

Vinchina
1410 - 1490 m

Famatina
1375 - 1850 m

San Blas de los Sauces
950 - 1100 m

La Costa Riojana
1275 - 1700 m

Chilecito
770 - 1275 m

Vinchina

Villa Castelli

Villa Unión

Guanácol   Valles de Famatina

SAN JUAN

Bermejo

SIERRA DE FAMATINA

Chilecito

Sañogasta

SIERRA DE SEÑOGASTA

Vichigasta

Nonogasta   Valle   Famatina

Famatina

San Blas de los Sauces

CATAMARCA

Salado

SIERRA   DE   VELASCO

Anillaco

Valles   Famatina

La Rioja

LA RIOJA

N

Valles vitivinícolas
LA RIOJA

Cartografía por FOCUS

Gentileza Wines of Argentina

La Rioja

Tintos

89,5 / $$
Nina Petit Verdot 2014. San Huberto.
La Rioja. Aminga

89 / $$$
Nina Gran Petit Verdot 2010.
San Huberto. La Rioja. Aminga

88 / $$
Nina Cabernet Sauvignon, Malbec 2012.
San Huberto. La Rioja. Aminga

88 / $$$
Nina Gran Cabernet Franc 2015.
San Huberto. La Rioja. Aminga

88 / $$
Nina Malbec 2014. San Huberto.
La Rioja. Aminga

Blancos

88 / $$
Nina Torrontés 2016.
San Huberto.
La Rioja. Aminga

Chapadmalal

Tintos

88 / $$$
Costa y Pampa. Pinot Noir 2015.
Trapiche. Provincia de Buenos Aires.
Chapadmalal

Blancos

91,5 / $$$
Costa y Pampa Chardonnay 2016.
Trapiche. Provincia de Buenos Aires.
Chapadmalal

91 / $$$
Costa y Pampa Sauvignon Blanc 2016.
Trapiche. Provincia de Buenos Aires.
Chapadmalal

90,5 / $$$
Costa y Pampa Riesling 2016.
Trapiche. Provincia de Buenos Aires.
Chapadmalal

Patagonia

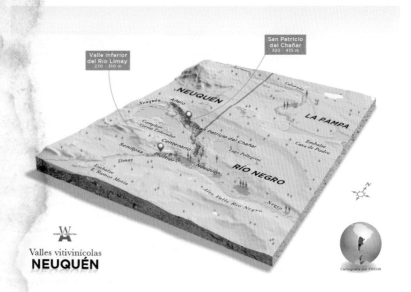

Valle
Río Pico
590 - 670 m

Valle
16 de Octubre
345 - 375 m

Comarca Andina
del Paralelo 42
200 - 270 m

Piedra Parada
390 - 410 m

Paso
del Sapo
395 - 400 m

Los Altares
245 - 260 m

Sarmiento
265 - 300 m

Valle inferior
del Río Chubut
10 - 50 m

CORDILLERA DE LOS ANDES

CHILE

RÍO NEGRO

PATAGONID

CHUBUT

El Bolsón
El Hoyo
Gualjaina
Trevelin
Río Pico
Paso del Sapo
Los Altares
Chubut
Dolavon
Trelew
Rawson

Senguer
Lago
Musters
Lago
Colhué Huapí
Chico
Chico
Embalse
Florentino
Ameghino

Sarmiento

MAR ARGENTINO

OCÉANO
ATLÁNTICO
SUR

Cartografía por FOCUS

Valles vitivinícolas
**PATAGONIA
CENTRAL**

Valle inferior
del Río Limay
270 - 310 m

San Patricio
del Chañar
520 - 415 m

NEUQUÉN

Colorado

Neuquén
Añelo
LA PAMPA

Complejo
Cerros Colorados
San Patricio del Chañar
Embalse
Casa de Piedra

Senillosa
Centenario
Lago Pellegrini

Límay
Plottier
Neuquén
RÍO NEGRO

Embalse
E. Ramos Mexía
Alto Valle Río Negro
Negro

Cartografía por FOCUS

Valles vitivinícolas
NEUQUÉN

PRODUCTORES INTERESANTES:
Del Fin del Mundo,
Familia Schoreder,
Malma, Mantra.

Tintos

92,5 / $$$$
Red Blend 2015. Del Fin del Mundo.
Neuquén. San Patricio del Chañar
VM: Nariz fresca, de fruta jugosa, especias y violetas. En boca se siente puro, fresco, integrado y sedoso.
AG: Balanceado. Empieza a mostrar las características del lugar. Especiado y con buena fruta. Tensión y buena acidez. Rico y fácil de beber

92 / $$$$
Special Blend 2013. Del Fin del Mundo.
Neuquén. San Patricio del Chañar
VM: Fruta negra, hongos de pino, laurel, especias dulces. Notas de su paso por barrica. Es maduro, de taninos aterciopelados.

AG: Está bien y prolijo. El tope de gama de Del Fin del Mundo tiene buena fluidez, notas de hojas secas y hongos. Taninos tersos y rico final.

91,5 / $$$$
Malma Universo Blend 2012. Malma.
Neuquén. San Patricio del Chañar

91 / $$$
Saurus Barrel Fermented Malbec 2015.
Familia Schroeder. Neuquén.
San Patricio del Chañar

90 / $$
Mantra Malbec 2016. Mantra.
Neuquén. San Patricio del Chañar

89 / $$
Reserva Merlot 2014.
Del Fin del Mundo. Neuquén.
San Patricio del Chañar

89 / $$$
Fin Single Vineyard Cabernet Franc
2012. Del Fin del Mundo. Neuquén.
San Patricio del Chañar

89 / $$
Malma Family Reserve Malbec 2014.
Malma. Neuquén.
San Patricio del Chañar

89 / $$
Saurus Select Merlot 2015.
Familia Schroeder. Neuquén.
San Patricio del Chañar

89 / $$
Manos Negras Red Soil Pinot Noir 2015.
Manos Negras Wines. Neuquén.
San Patricio del Chañar

89 / $$
Mantra Pinot Noir 2015. Mantra.
Neuquén. San Patricio del Chañar

88 / $$
Gran Reserva del Fin del Mundo 2013.
Del Fin del Mundo. Neuquén.
San Patricio del Chañar

88 / $$$
Saurus Barrel Fermented
Pinot Noir 2015. Familia Schroeder.
Neuquén. San Patricio del Chañar

88 / $$
Mantra Merlot 2015. Mantra. Neuquén.
San Patricio del Chañar

Espumantes

90 / $$$$
Aether Brut Nature Pinot Noir. Barroco.
Neuquén. San Patricio del Chañar

90 / $$$
Familia Schroeder Brut
Nature Chardonnay, Pinot Noir.
Familia Schroeder.
Neuquén. San Patricio del Chañar

88 / $$
Del Fin del Mundo Brut Nature
Pinot Noir 2014. Del Fin del Mundo.
Neuquén. San Patricio del Chañar

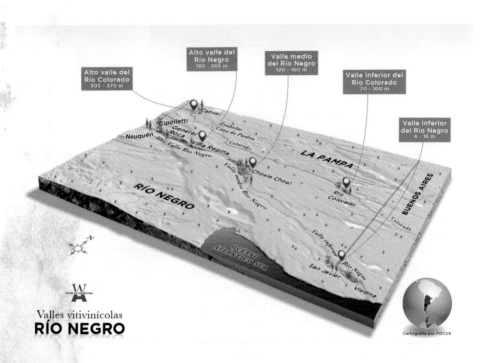

Valles vitivinícolas
RÍO NEGRO

Gentileza Wines of Argentina

Río Negro

Una vena de sangre verde

Por Piero Incisa / Propietario de Bodega Chacra.

Recuerdo mi primer viaje a Rio Negro. Desde el avión se veía un desierto que parecía contener una vena de sangre verde. Mientras descendíamos, poco a poco aparecían unas figuras geométricas, rectangulares como canchas de tenis. Lo primero que pensé fue que el Alto Valle del Río Negro no era adecuado para la viña.

Aterrizamos. Nos recibió un aire limpio, puro, de intensa luminosidad, con un suave viento y fresca temperatura. De a poco fui descubriendo la región y mis ojos de agricultor fueron encontrando elementos que tenían una increíble sinergia con la uva.

Un lugar limpio, con mínima contaminación química, una humedad muy baja que impide la propagación de los hongos, agua limpia y muy mineral, noches frescas que permiten a la vid y a todos los frutales reposar durante la noche y desarrollar los aromas más finos y complejos. Y ese viento constante que impide o minimiza el arraigo de las enfermedades más dañinas para los viñedos. Encontré un jardín del Edén, ideal para el cultivo orgánico y biodinámico.

Al recorrer los viñedos comprobé que allí no podía propagarse la filoxera. Las vides están implantadas en pie franco, de selección masal, algo prácticamente inexistente en Europa. También la edad de las plantas indicaba que el microclima era ideal para el desarrollo de la uva y el vino.

La vid se adaptó a este lugar de manera perfecta, y con los años su mutación le permitió sentirse en su propia casa y manifestar características únicas, que expresan una personalidad similar a la de las uvas de la Borgoña, pero con un carácter bien definido determinado por el microclima del Alto Valle.

Los estudios geológicos de los suelos revelaron un perfil interesante, complementario a las necesidades del viñedo, lo que permite elaborar vinos elegantes, finos, con balance y que expresan un terruño con personalidad única.

Limo, arcilla, arena y piedra, una mezcla de factores que contribuyen a la creación de vinos minerales y florales, con textura y tensión, más los taninos sedosos de la viña vieja.

El horizonte subterráneo está en perfecta armonía con el horizonte terrestre, y la biodiversidad de la fauna y de la flora son el perfecto reflejo de la armonía y balance de este ecosistema mágico.

Tintos

97,5 / $$$$
J. Alberto Malbec 2016. Noemia. Río Negro. Mainqué

VM: Proviene de un viñedo de pie franco de 1955 y sus uvas son orgánicas. Es profundo y seductor. Una nariz que atrapa. Ofrece fruta roja y negra fresca, violetas, mix de hierbas, especias y madera sutil. En boca es aterciopelado, complejo, con acidez filosa que conserva tensión. Es franco, levemente salino, mineral y de cuerpo medio/alto. Tiene capas. Final largo. Con gran potencial de guarda, pero a su vez, listo para beber. ¡Mi cosecha preferida de J. Alberto!

AG: Puro, limpio, de textura sedosa, muy elegante, con tensión, taninos tersos y mucha fruta fresca. Sin duda, de lo mejor de la Patagonia. Con cordero patagónico en 1884.

TOP 20
96,5 / $$$$$
Chacra 55 Pinot Noir 2016. Chacra. Río Negro. Mainqué

VM: De viñedos plantados en 1955, muestra la riqueza de una zona escondida y no central del país. Se presenta austero pero de a poco va desplegando su real complejidad. Súper floral, con matices que recuerdan a la fresa y cereza fresca. En boca es franco, salino, fresco, vertical, elegante y de larga persistencia.

AG: Puro y delicado, muy seductora y elegante nariz de especias y pura fruta roja. En boca es sedoso, amplio y muy balanceado. Un gran vino para disfrutar ahora o guardar. Con potencial hasta 2030.

PATAGONIA

De Río Negro probamos vinos cada vez más delicados, frescos y elegantes. Creo que Neuquén está atravesando un buen momento, sus vinos empiezan a tener una identidad y muestran consistencia año tras año. El trabajo, ahora, será buscar más pureza, frescura y tomabilidad.
AG.

96,5 / $$$$$
Chacra 32 Pinot Noir 2014. Chacra. Río Negro. Mainqué

VM: Siguiendo los principios orgáncos y biodinámicos, se obtiene este profundo Pinot Noir de viñas plantadas en 1932. Despliega notas de cereza negra, té, hierbas, especias y rosas. En boca es fresco, mineral, con madera elegante y textura aterciopelada. Súper persistente.

AG: Elegante y complejo. Con notas de cuero y especias frescas. En boca es terso, con buena acidez y final redondo.

94 / $$$$
Old Vines From Patagonia Merlot 2015. Matías Riccitelli. Río Negro. Mainqué

VM: En su constante búsqueda, Matías Riccitelli encontró en Patagonia un gran Merlot de viñas viejas. Un vino profundo, con cerezas negras, humo, tierra húmeda y notas mentoladas. De gran cuerpo y estructura, acidez fresca, taninos aterciopelados y final largo. Trasvasar.

AG: Merlot con gran personalidad, apuesta a mostrar el Valle de Río Negro. Es concentrado, especiado y bien armado. Taninos firmes. Un vino jugoso y con largo final de fruta roja y especias.

92,5 / $$$
**Verum Reserva Cabernet
Franc 2014. Del Río Elorza.
Río Negro. Mainqué**

VM: Frambuesa madura, pimienta fresca y notas florales. De textura sedosa, agradable frescura y taninos firmes. No son tantos los Cabernet Franc de esta zona, por ahora. Este es uno para disfrutar.

AG: Limpio, profundo y compacto. Buena pureza de fruta y especias frescas, taninos firmes y final seco. Se nota una mejora en los vinos Verum, ya no pasan desapercibidos.

92,5 / $$$
**Verum Reserva Malbec 2016.
Del Río Elorza. Río Negro.
Alto Valle**

VM: Nuevos aires se perciben en este vino. Aromas de cereza fresca y flores. Es crocante, de mucha frescura, salino y mineral.

AG: Buena concentración, intenso. Muy rico en boca, cereza fresca, taninos apretados y final largo. Joven aún, decantarlo lo mejora.

92 / $$$$
**Barda Pinot Noir 2016. Chacra.
Río Negro. Mainqué**

VM: Cerezas frescas, frutillas secas, pétalos de rosas, tierra húmeda. Sedoso, fino, complejo, con textura calcárea y notas salinas. Mineralidad y tensión.

AG: Hemos probado mejores ediciones de Barda. Mantiene el estilo. Tiene persistencia, especias y personalidad.

 92 / $$
**Humberto Canale Old
Vineyard Los Borregos
Malbec 2014. Humberto Canale.
Río Negro. Alto Valle**

VM: Uvas provenientes de viñedos propios de 1969 le dan vida y vivacidad a este Malbec patagónico de fruta fresca, hierbas y viruta de lápiz. Es redondo y rico, puro, fresco y sedoso. Final sabroso y persistente.

AG: Humberto Canale mostrando un perfil más moderno y conciso. Un Malbec jugoso con pura fruta fresca, acidez y buena textura. Taninos tersos, buena tensión y rico final de fruta roja. Tomarlo ahora o guardar.

 **RÍO NEGRO: LA FRESCURA,
LA DELICADEZA
Y EL EQUILIBRIO**
VM.

92 / $$$
A. Lisa Malbec 2016. Noemía.
Río Negro. Mainqué
VM: Pureza de fruta, explosión de cereza roja
y negra. Notas de tierra húmeda y rosas secas.
Acidez refrescante, taninos firmes, salino, con
texturas y mineralidad. Mejorará con un tiempo
en botella. La puerta de entrada a los maravillo-
sos Malbec patagónicos de Hans Vinding Diers.
AG: Buena pureza frutal y volumen. Final ba-
lanceado y redondo.

91,5 / $$
Verum Del Río Elorza Malbec 2016.
Río Negro. Alto Valle

91 / $$$$
Marcus Gran Reserva Merlot 2013.
Humberto Canale. Río Negro.
Alto Valle

91 / $$
Gérôme Marteau Reserve
Malbec 2014. Río Negro.
Alto Valle

90,5 / $$$
Mara Siesta en el Tahuantinsuyu
Pinot Noir 2014. Ernesto Catena
Vineyards. Río Negro

90,5 / $$$$
Marcus Gran Reserva Pinot
Noir 2014. Humberto Canale.
Río Negro. Alto Valle

90 / $$
Humberto Canale Estate Since
1909 Pinot Noir 2015. Humberto
Canale. Río Negro. Alto Valle

89,5 / $$
Humberto Canale Estate Since
1910 Merlot 2015. Humberto Canale.
Río Negro. Alto Valle

89 / $$
Verum Pinot Noir 2016.
Del Río Elorza. Río Negro.
Alto Valle

89 / $$
Gérôme Marteau Merlot 2014.
Gérôme Marteau. Río Negro.
Alto Valle

89 / $$$
Artesano Pinot Noir 2016.
Manos Negras Wines. Río Negro

89 / $$
Ojo Negro Pinot Noir 2014.
Ojo de Agua. Río Negro.
Choele Choel

88 / $$
Humberto Canale Old Vineyard
La Isabel Pinot Noir 2015.
Humberto Canale. Río Negro.
Alto Valle

Blancos

94 / $$$$
**Old Vines From Patagonia Semillón
2016. Matías Riccitelli. Río Negro**
VM: Lemongrass, frutas cítricas, durazno, piel
de limón, hierbas y piedra mojada. Frescura,
volumen medio, elegancia y estructura. De final
seco, mineral y persistente. Viñas de 50 años.
AG: Elegante, fino, herbal, lima, fruta blanca y
especias. Seco, fluido y con buena acidez. Un
vino serio. Potencial de guarda 2018-2025

90 / $$
**Humberto Canale Old Vineyard
La Morita Riesling 2016.
Humberto Canale. Río Negro.
Alto Valle**

88,5 / $$
**Humberto Canale Old Vineyard
Finca Milagros Semillón 2016.
Humberto Canale.Río Negro. Alto Valle**

Rosados

91 / $$$
**Mainqué Pinot Noir Rosé 2017.
Chacra. Río Negro. Mainqué**

Espumantes

89,5 / $
**Gerome Marteau Metodo Tradicional
Extra Brut Gerome Marteau Torrontes,
Chardonnay. Rio Negro. Alto Valle**

Índice de Bodegas y Vinos

ANDELUNA

Andeluna 1300 Malbec 2016 / 40
Andeluna 1300 Sauvignon Blanc 2016 / 40
Andeluna Altitud Cabernet Sauvignon 2014 / 134
Andeluna Altitud Chardonnay 2016 / 108
Pasionado Cabernet Franc 2013 / 126
Pasionado Cuatro Cepas 2014 / 127

ANIMA MUNDI VITICULTORES

Anima Mundi Blend 2013 / 150
Anima Mundi Malbec 2014 / 56
Anima Mundi Petit Verdot 2014 / 150
C.A.T Las Pintadas Malbec 2015 / 56

ANTIGAL WINERY & ESTATES

Antigal One La Dolores Malbec 2008 / 133
Antigal Uno Malbec 2014 / 103
Antigal Uno Cabernet Sauvignon 2014 / 135

ANTUCURA

Barrandica Cabernet Sauvignon
    Vista Flores 2016 / 41
Barrandica Malbec Selection
Vista Flores 2016 / 41
Barrandica Pinot Noir Selection 2016 / 41
Blend Selection 2012 / 157
De Una Malbec 2015 / 41
Grand Vin 2010 / 155
La Folie Blend 2014 / 40
Single Vineyard Tani Cabernet Franc 2015 / 156
Single Vineyard Yepun Malbec 2015 / 156

ARGENTO

Reserva Cabernet Franc 2014 / 77

ATAMISQUE

Atamisque Assemblage 2014 / 131
Atamisque Malbec 2015 / 132
Catalpa Assemblage 2014 / 129
Catalpa Malbec 2016 / 135
Catalpa Old Vines Cabernet Sauvignon 2015 / 134
Serbal Assemblage 2016 / 104
Serbal Cabernet Franc 2017 / 134
Serbal Malbec 2017 / 44

Serbal Pinot Noir 2017 / 135
Serbal Viognier 2016 / 44
Serbal Viognier 2017 / 135
Vicomte de Rochebouet Extra Brut Rosé / 61

B

BAD BROTHERS WINE EXPERIENCE

Facón Selection CabernetSauvignon 2015 / 169
Sunal Malbec 2014 / 169
ToVio 2016 / 41

BARROCO

Aether Brut Nature / 186
Barroco Viognier 2012 / 70
Corte de la Tierra 2013 / 59

BEGANI

Begani Master Blend Private Terroir 2010 / 77
Begani Premium Blend Begani 2011 / 77

BENEGAS

Carmela Benegas Cabernet Franc 2016 / 41
Benegas Estate Wine Cabernet Franc 2015 / 69
Benegas Lynch La Encerrada Estate Single
    Vineyard Malbec 2014 / 125
Benegas Estate Single Vineyard
    Finca La Libertad 2010 / 69
Luna Benegas Cabernet Sauvignon 2014 / 69

BLANCHARD & LURTON

Blanchard & Lurton Grand Vin 2016 / 151
Blanchard & Lurton Les Fous Corte
    Bordelés 2017 / 93

BODEGA BUSCADO VIVO O MUERTO

Buscado Vivo o Muerto El Cerro Malbec 2014 / 96
Buscado Vivo o Muerto El Indio Malbec 2014 / 91
Buscado Vivo o Muerto El Límite Malbec 2014 / 97
Buscado Vivo o Muerto La Verdad Malbec 2014 / 126
Buscado Vivo o Muerto San Jorge Malbec 2014 / 91
Buscado Vivo o Muerto El Manzano
    Malbec 2014 / 148

BODEGAS BIANCHI
Famiglia Bianchi Brut Nature / **61**
Famiglia Bianchi Viognier 2016 / **61**
Los Stradivarius de Bianchi L'Elisir d'Amore
    Vendimia Retardata 2011 / **61**
Los Stradivarius de Bianchi Porto
    de Magoas 2011 / **61**
Particular Bianchi Merlot 2014 / **59**
1887 Red Blend 2013 / **40**

BODEGAS ETCHART
Arnaldo B Gran Reserva 2013 / **166**
Cafayate Gran Linaje Cabernet
    Sauvignon 2015 / **169**
Cafayate Gran Linaje Cosecha Tardia
    Torrontés 2015 / **171**
Cafayate Gran Linaje Malbec 2015 / **169**
Cafayate Gran Linaje Torrontés 2016 / **170**
Cafayate Reserve Cabernet
    Sauvignon 2015 / **170**
Cafayate Reserve Torrontés 2015 / **170**
Cafayate Vino de Altura Cabernet
    Sauvignon 2016 / **170**
Cafayate Vino de Altura Malbec 2016 / **41**
Cafayate Vino de Altura Torrontés 2016 / **41**

BODEGAS LA GUARDA
El Guardado, Un vino Imposible 2012 / **178**

BODEGAS SAN HUBERTO
Nina Cabernet Sauvignon Malbec 2012 / **181**
Nina Gran Cabernet Franc 2015 / **181**
Nina Gran Malbec 2014 / **83**
Nina Gran Petit Verdot 2010 / **181**
Nina Malbec 2014 / **181**
Nina Petit Verdot 2014 / **181**
Nina Torrontés 2016 / **181**

BRESSIA
Conjuro 2012 / **94**
Lágrima Canela 2015 / **107**
Monteagrelo Cabernet Franc 2015 / **59**
Profundo 2012 / **69**

C

CADUS WINES
Chacayes Appelation Malbec 2015 / **149**
Chacayes Appelation Petit Verdot 2015 / **150**
Single Vineyard Finca Las Torcazas Malbec 2014 / **73**
Single Vineyard Finca Viña Vida Malbec 2014 / **147**
Tupungato Appelation Cabernet
    Sauvignon 2015 / **104**
Tupungato Appelation Malbec 2015 / **131**
Vista Flores Appelation Chardonnay 2016 / **158**

CALLIA
Hoy Syrah 2016 / **41**
Magna Malbec 2016 / **41**

CASARENA BODEGA Y VIÑEDOS
Casarena DNA Cabernet Sauvignon 2012 / **68**
Casarena Owen's Single Vineyard Agrelo
    Cabernet Sauvignon 2015 / **80**

CASTA DEL SUR
Canyengue Grand Reserve 2012 / **84**
Casta del Sur Malbec 2013 / **84**
Las Andanas Blend 2013 / **43**

CATENA ZAPATA
Adrianna Vineyard Fortuna Terrae
    Vino de Parcela Malbec 2013 / **123**
Adrianna Vineyard Mundus Bacillus Terrae
    Vino de Parcela Malbec 2013 / **124**
Adrianna Vineyard River Stones
    Vino de Parcela Malbec 2013 / **124**
Adrianna Vineyard White Bones
    Vino de Parcela Chardonnay 2014 / **135**
Adrianna Vineyard White Stones Vino de Parcela
    Chardonnay 2014 / **136**
Angélica Zapata Alta Cabernet Franc 2012 / **76**
Angélica Zapata Alta Chardonnay 2014 / **136**
Angélica Zapata Alta Malbec 2013 / **56**
D.V. Catena Cabernet – Cabernet 2013 / **57**
D.V. Catena Cabernet –Malbec 2015 / **58**
D.V. Catena Malbec – Grenache 2015 / **56**
D.V. Catena Pinot-Pinot 2014 / **103**

CUVELIER LOS ANDES
Cuvelier Los Andes Cabernet Sauvignon 2015 / **154**
Cuvelier Los Andes Colección Blend 2014 / **156**
Cuvelier Los Andes Grand Vin 2012 / **154**
Cuvelier Los Andes Merlot 2015 / **157**
Llevame Volando a la Luna Malbec 2014 / **154**

D

DE ÁNGELES
Gran Malbec de Angeles Viña 1924 Malbec 2013 / **83**
Malbec de Angeles Viña 1924 Malbec 2013 / **84**

DE POTRERO
De Potrero Malbec 2016 / **134**
Gran Malbec de 2015 / **134**
Reserva de Potrero Malbec 2016 / **133**

DEL FIN DEL MUNDO
Del Fin del Mundo Brut Nature
    Pinot Noir 2014 / **186**
Fin Single Vineyard Cabernet Franc 2012 / **186**
Gran Reserva Del Fin del Mundo 2013 / **186**
Fin del Mundo Red Blend 2015 / **185**
Reserva Merlot Del Fin del Mundo 2014 / **186**
Fin del Mundo Special Blend 2013 / **185**
La Poderosa Blend 2016 / **42**
La Poderosa Extra Brut / **43**
La Poderosa Malbec 2016 / **43**

DEL RÍO ELORZA
Verum Malbec 2016 / **193**
Verum Pinot Noir 2016 / **193**
Verum Reserva Cabernet Franc 2014 / **192**
Verum Reserva Malbec 2016 / **192**

DESQUICIADO
Desquiciado Blend 2015 / **134**
Desquiciado Cabernet Franc 2016 / **134**
Desquiciado Malbec 2016 / **133**

DEUMAYÉN WINES
Petit Trez Extra Brut / **109**
Trez Gran Reserva Malbec 2011 / **157**

DIAMANDES ARGENTINA
Dimandes de Uco Chardonnay 2015 / **41**
Dimandes de Uco Malbec 2014 / **155**
Dimandes de Uco Malbec 2015 / **157**
Diamandina Malbec 2015 / **156**
L´Argentine de Malartic Rosé 2016 / **42**

DOMAINE BOUSQUET
Gaia Red Blend 2015 / **102**
Domaine Busquet Grande Reserve
    Malbec 2015 / **127**
Domaine Busquet Grande Reserve
    Chardonnay 2015 / **136**
Domaine Busquet Reserve Pinot Noir 2016 / **134**

DOÑA PAULA
Doña Paula 1350 Blend 2014 / **134**
Estate Black Edition 2015 / **69**
Estate Sauvignon Blanc 2016 / **107**
Los Cardos Red Blend 2015 / **42**

E

EL EQUILIBRISTA WINES
El Gran Equilibrista 2014 / **55**
El Sensacional Equilibrista Malbec 2016 / **57**
Función Cabernet Sauvignon Palco 2015 / **94**

EL ESTECO
Altimus Gran Vino 2012 / **167**
Chañar Punco Malbec 2015 / **173**
Chañar Punco Blend 2013 / **173**
Ciclos Icono 2014 / **169**
Ciclos Torrontés 2016 / **170**
Don David Reserva Cabernet
    Sauvignon 2016 / **169**
Don David Reserva Malbec 2016 / **169**
El Esteco Cabernet Sauvignon 2014 / **168**
El Esteco Malbec 2014 / **169**

FERNANDO DUPONT
Rosa de Maimará 2016 / **172**
Pasacana Blend 2014 / **174**
Pasacana Vinificación Integral Blend 2014 / **174**
Punta Corral Blend 2014 / **174**
Sikuri Syrah 2013 / **174**

FINCA AMBROSIA
Ambrosía Precioso Malbec 2014 / **129**
Ambrosía Viña Única
   Cabernet Sauvignon 2013 / **129**
Ambrosía Viña Única Chardonnay 2014 / **137**
Ambrosía Viña Única Malbec 2013 / **133**

FINCA BETH
Rompecabezas Malbec 2015 / **117**
2KM 2015 / **117**

FINCA BLOUSSON
Del Sol Los Chacayes Malbec 2014 / **148**
De la Luna Malbec 2015 / **148**
Petit Blousson Malbec 2016 / **150**

FINCA DECERO
Decero Remolinos Vineyard Malbec 2015 / **75**
The Owl & The Dust Evil 2014 / **76**

FINCA LA ANITA
Finca La Anita Petit Verdot 2014 / **76**
Finca La Anita Syrah 2015 / **76**
Luna Malbec 2015 / **76**

FINCA LA COTI
Finca La Coti Malbec 2016 / **155**
Sabandijas 2016 / **156**

FINCA LA IGRIEGA
Finca La Igriega Blend 2015 / **116**
Superior Malbec 2014 / **117**
Finca La Igriega Malbec 2014 / **119**
Finca La Igriega Malbec Rosé 2017 / **120**

FINCA LA LUZ
Callejón del Crimen Gran Reserva
   Petit Verdot 2015 / **157**
Callejón del Crimen Gran Reserva Merlot 2015 / **157**
Callejón del Crimen Gran Reserva
   Sangiovese 2015 / **156**
Gran Callejón del Crimen Winemaker
   Selection 2015 / **156**

FINCA LAS PAYAS
Moscato di Cardenale Moscatel Rosé 2017 / **43**

FINCA QUARA
Alpaca Malbec 2015 / **169**
Alpaca Torrontés 2015 / **170**
Quara Single Vineyard Viña el Recuerdo
   Tannat 2014 / **169**
Quara Viña Single Vineyard La Esperanza
   Torrontés 2015 / **170**

FINCA SOPHENIA
Alto Sur Malbec 2016 / **40**
Antisynthesis Field Blend 2015 / **95**
Sophenia Reserve Cabernet Sauvignon 2015 / **102**
Sophenia Reserve Syrah 2015 / **102**
Synthesis Cabernet Sauvignon 2012 / **94**
Synthesis Sauvignon Blanc 2016 / **106**

FINCA SUAREZ
Finca Suarez Brut Nature / **120**
Finca Suarez Chardonnay 2016 / **119**
Finca Suarez Gran Malbec 2014 / **115**
Finca Suarez Malbec 2015 / **115**

FINCAS ADRIÁN RÍO
Adrián Río Family Barrel Malbec 2013 / **144**
Adrián Río Rosé Malbec 2016 / **145**
Adrian Rio Single Vineyard Malbec 2013 / **144**
Adrián Río Vine Selected Malbec 2013 / **143**

FINCA LAS GLICINAS
Ciruelo Blend 2015 / **118**
Ciruelo Cabernet Franc 2015 / **116**
Ciruelo Malbec 2015 / **118**
Jengibre Chardonnay 2016 / **120**

KRONTIRAS
Doña Silvina Malbec 2015 / **69**
Doña Silvina Reserva Malbec 2010 / **68**
Doña Silvina Torrontés 2016 / **42**

L

LADERAS DE LOS ANDES
Laderas de los Andes Reserva Malbec 2013 / **143**
Laderas de los Andes Malbec 2014 / **144**
Laderas de los Andes Estate Bottled
    Malbec 2015 / **43**

LAGARDE
Altas Cumbres Extra Brut / **40**
Guarda Colección de Viñedos Blend 2013 / **68**
Guarda Colección de Viñedos
    Cabernet Franc 2014 / **80**
Guarda Colección de Viñedos
    Chardonnay 2015 / **136**
Guarda Colección de Viñedos Unoaked
    Chardonnay 2014 / **136**
Guarda Sisters Selection Blend 2013 / **58**
Guarda Sisters Selection Unoaked
    Chardonnay 2014 / **136**
Henry Gran Guarda 2012 / **68**
Lagarde Cabernet Sauvignon 2014 / **69**
Lagarde Dolce Moscato Bianco / **81**
Lagarde Malbec 2015 / **81**
Lagarde Método Champenoise Blanc de
    Pinot Noir / **158**
Lagarde Método Champenoise Extra Brut / **61**
Lagarde Semillón 2016 / **79**
Lagarde Syrah 2015 / **69**
Lagarde Viognier 2016 / **81**
Primeras Viñas Cabernet Sauvignon 2013 / **80**
Primeras Viñas Gualtallary Malbec 2015 / **125**
Primeras Viñas Luján de Cuyo Malbec 2013 / **67**

LA LIBERTAD
170 Pasarisa Limitless Argentina IP Salta
    Torrontés 2015 / **75**

LAMADRID
Matilde Single Vineyard Malbec 2011 / **77**
Lamadrid Single Vineyard Gran Reserva
    Malbec 2012 / **73**
Lamadris Single Vineyard Reserva Bonarda / **77**
Lamadrid Single Vineyard Reserva
    Cabernet Franc 2014 / **77**
Lamadrid Single Vineyard Reserva
    Malbec 2014 / **76**

LANÚS WINES
174 Aguayo Malbec 2013 / **174**

LAS PERDICES
Ala Colorada Ancelotta 2014 / **76**
Icono Malbec 2013 / **77**
Las Perdices Petit Verdot 2015 / **76**
Las Perdices Sauvignon Blanc 2017 / **43**
Las Perdices Torrontés 2017 / **43**
Reserva Chardonnay 2015 / **78**
Tinamú 2012 / **77**

LAUREANO GÓMEZ
Terroir Merlot 2016 / **105**

LORENZO DE AGRELO
Fede Malbec 2014 / **72**
Lorenzo Parcela Este Malbec 2014 / **71**
Lorenzo Parcela Norte Malbec 2014 / **71**
Lorenzo Parcela Oeste Malbec 2014 / **72**
Mártir Cabernet Franc 2015 / **74**
Mártir Chardonnay 2016 / **78**
Mártir Malbec 2015 / **73**

LOS FLÂNEURS
Flâneur Blanc de Blancs 2014 / **81**
Flâneur Single Vineyard Reserve 970m
    Malbec 2014 / **80**
Flâneur Single Vineyard Reserve 1170m
    Malbec 2014 / **134**

LTU
LTU Malbec 2012 / **142**

LUIGI BOSCA

De Sangre 2014 / 58
Icono 2011 / 86
Finca Los Nobles Chardonnay 2015 / 87
Finca Los Nobles Field Blend 2012 / 87
Luigi Bosca Gala 3 2014 / 60
Luigi Bosca Gala 4 2014 / 87
Granos Nobles Gewurztraminer 2016 / 70
La Linda Malbec 2015 / 42
La Linda Private Selection Malbec 2014 / 42
La Linda Torrontés 2016 / 42
Las Compuertas Luján de Cuyo Riesling 2016 / 87
Luigi Bosca D.O.C. Malbec 2014 / 85
Luigi Bosca Grand Pinot Noir 2015 / 144
Rosé is a Rosé 2016 / 61
Terroir Los Miradores Malbec 2014 / 104

M

MALMA

Family Reserve Malbec 2014 / 186
Finca La Papay Sauvignon Blanc 2016 / 43
Malma Universo Blend 2012 / 185

MANOS NEGRAS

Manos Negras Artesano Pinot Noir 2016 / 193
Manos Negras Blend de Blancas 2016 / 151
Manos Negras Red Soil Pinot Noir 2015 / 186
Manos Negras Stone Soil Malbec 2015 / 118

MANTRA

Mantra Malbec 2016 / 185
Mantra Merlot 2015 / 186
Mantra Pinot Noir 2015 / 186

MARGOT

Celedonio Gran Cabernet Sauvignon 2013 / 103
Celedonio Gran Chardonnay 2013 / 108
Celedonio Gran Malbec 2013 / 134
Maula Oak Malbec 2015 / 104
Maula Oak Pinot Noir 2015 / 104
Maula Selected Barrels Malbec 2013 / 105

MASCOTA VINEYARDS

Gran Mascota Cabernet Sauvignon 2013 / 94
Gran Mascota Malbec 2013 / 90
La Mascota Cabernet Sauvignon 2013 / 68
La Mascota Chardonnay 2014 / 70
La Mascota Malbec 2014 / 69
La Mascota Sparkling Extra Brut / 70

MATÍAS RICCITELLI WINES

Blanco de la Casa 2016 / 106
Hey Malbec 2016 / 58
Hey Rosé 2016 / 61
Old Vines From Patagonia Merlot 2015 / 191
Old Vines From Patagonia Semillón 2016 / 194
Riccitelli & Father 2014 / 53
República del Malbec 2015 / 86
The Apple Doesn´t Fall Far From the Tree
    Malbec 2015 / 55
The Apple Doesn´t Fall Far From the Tree
    Pinot Gris 2017 / 107
The Apple Doesn´t Fall Far From the Tree
    Pinot Noir 2016 / 132
Tinto de la Casa Matias Riccitelli
    Malbec 2016 / 54
Vineyard Selection Cabernet Franc 2014 / 58
Vineyard Selection Malbec 2014 / 55

MELIPAL

Melipal Estate Bottled I.G Agrelo
    Malbec 2015 / 77
Ikella Merlot 2016 / 78
Melipal Blend 2014 / 78
Melipal Cabernet Franc 2014 / 77
Melipal Cabernet Sauvignon 2014 / 78
Nazarena Vineyard 1923 Malbec 2014 / 74

MENDEL WINES

Finca Remota Malbec 2014 / 112
Mendel Cabernet Sauvignon 2015 / 80
Mendel Malbec 2015 / 79
Mendel Semillón 2016 / 145
Unus 2014 / 57

MONTEVIEJO
Lindaflor Blend 2010 / **156**
Petite Fleur Blend 2014 / **103**
Petite Fleur Torrontés 2015 / **107**

MORELLI VINO DE CAVA
Obstinado Pinot Noir 2014 / **98**
Refrán Blanc de Noir 2016 / **107**
Refrán Cabernet Franc 2015 / **118**

MUNDO REVÉS WINES
Asa Nisi Masa Malbec 2016 / **118**
Asa Nisi Masa Mundo Reves Bonarda 2017 / **102**

N

NAVARRO CORREAS
Juan de Dios 2013 / **72**
Reserve Selección de Barricas
    Cabernet Sauvignon 2015 / **77**
Navarro Correas Selección de Enologo
    Single Vineyard Malbec 2012 / **97**

NIETO SENETINER
Don Nicanor Barrel Select Malbec 2014 / **99**
Don Nicanor Malbec 2016 / **59**
Don Nicanor Single Vineyard Villa Blanca
    Malbec 2014 / **83**
Nieto Senetiner Partida Limitada Bonarda 2015 / **76**
Nieto Senetiner Pinot Noir Extra Brut / **84**
Nieto Senetiner Semillón 2016 / **107**

NIVEN WINES
Corte San pablo 2015 / **103**
Rompe Corazones 2015 / **103**
Niven Wines Maceración CO2 Garnacha 2017 / **43**
Pala Corazón Corte de Blancas 2016 / **58**
Pala Corazón Bonarda 2017 / **59**
Pala Corazón Extra Brut 2014 / **70**
Pala Corazón Gualtallary Malbec 2013 / **136**
Pala Corazón Luján de Cuyo Cabernet
    Franc 2015 / **69**
Pala Corazón Paraje Altamira Malbec 2015 / **119**

NOEMÍA
A. Lisa Malbec 2016 / **193**
J. Alberto Malbec 2016 / **190**

NORTON
Gernot Langes 2012 / **67**
Lote A112 Single Vineyard Malbec 2012 / **73**
Lote L112 Single Vineyard Malbec 2012 / **67**
Lote L112 Finca Colonia Single Vineyard
    Malbec 2012 / **67**
Lote Negro 2015 / **91**
Norton Reserva Chardonnay 2015 / **107**

O

O. FOURNIER
B Crux   2011 / **94**
O. Fournier Malbec 2008 / **97**

OJO DE AGUA
Ojo Negro Pinot Noir 2014 / **193**
Puro Cabernet Sauvignon 2016 / **74**
Puro Corte D'Oro 2014 / **74**
Puro Malbec 2015 / **75**

ONOFRI WINES
Alma Gemela Nº 1 Pedro Xímenez 2016 / **61**
Alma Gemela Nº 2 Cabernet Franc 2014 / **68**
Alma Gemela Nº 3 Garnacha 2016 / **150**
Zenith Nadir 2016 / **61**

P

PALO ALTO
Benito A. Gran Reserva 2013 / **102**
Efigenia Extra Brut 2013 / **109**
Palo Alto Reserva Cabernet Sauvignon 2013 / **105**

PASO A PASO WINES
2V2T 2016 / **59**
Los Abandonados Cabernet
    Sauvignon 2016 / **103**

Trumpeter Reserve Blend 2015 / **103**
Trumpeter Reserve Rosé de Malbec 2016 / **109**

S

SALENTEIN
Alyda Cuvée Prestige Brut Nature / **108**
Killka Cabernet Sauvignon 2015 / **42**
Killka Malbec 2015 / **42**
Salentein Numina Spirit Vineyard
    Cabernet Franc 2015 / **104**
Salentein Numina Spirit Vineyard
    Gran Corte 2014 / **103**
Salentein Numina Spirit Vineyard
    Malbec 2015 / **104**
Portillo Nro 1 Malbec 2016 / **44**
Portillo Nº2 Cabernet Sauvignon 2016 / **44**
Portillo Nº3 Sauvignon Blanc 2016 / **44**
Portillo Nº5 Rosé Malbec 2016 / **44**
Primus Salentein Cabernet Sauvignon 2013 / **98**
Salentein Brut Nature Cuvée Exceptionelle / **109**
Salentein Brut Rosé Cuvée Exceptionelle / **109**
Salentein Reserve Chardonnay 2015 / **107**
Salentein Reserve Malbec 2015 / **103**
Salentein Reserve Pinot Noir 2015 / **102**
Single Vineyard Finca El Tomillo Malbec 2014 / **114**
Single Vineyard Finca San Pablo
    Sauvignon Blanc 2015 / **105**

SANTA JULIA
Alambrado Malbec 2016 / **59**
Gran Alambrado Cosecha Manual 2015 / **103**
Santa Julia Reserva Cabernet Sauvignon 2017 / **44**
Santa Julia Reserva Malbec 2017 / **44**
Tintillo 2017 / **45**

SIMONASSI
Pokhara Chenin Blanc 2017 / **43**
Simonassi Bonarda 2017 / **44**
Simonassi Malbec 2017 / **59**

SINFIN
El Interminable Red Blend 2014 / **56**
Gran Guarda Cabernet Franc 2015 / **58**
Guarda Bonarda 2014 / **44**
Guarda de Familia 2010 / **59**
Guarda Malbec 2014 / **45**

SOLO CONTIGO
Solo Contigo Colección Blend 2015 / **119**

SPOSATO FAMILY VINEYARDS
Sposato Family Vineyards Chardonnay 2016 / **45**
Sposato Family Vineyards Malbec 2016 / **60**
Sposato Reserve Malbec 2014 / **104**

SUMUN
Antonio Mas Historia Cabernet
    Sauvignon 2011 / **102**
Antonio Mas Historia Malbec 2011 / **135**
Antonio Mas Núcleo Blend 2014 / **104**
Antonio Mas Núcleo Cabernet
    Sauvignon 2014 / **134**
Antonio Mas Single Vineyard Cabernet
    Sauvignon 2015 / **135**

SUPERUCO
Calcáreo Coluvio Malbec 2015 / **119**
Calcáreo Granito Malbec 2015 / **127**
Calcáreo Río Malbec 2015 / **150**

SUSANA BALBO WINES
BenMarco Cabernet Sauvignon 2014 / **103**
BenMarco Expresivo 2015 / **128**
BenMarco Malbec 2014 / **149**
Crios Malbec 2016 / **41**
Crios Red Blend 2016 / **41**
Crios Torrontés 2017 / **61**
Susana Balbo Signature Barrel Fermented
    Torrontés 2016 / **120**
Susana Balbo Signature Cabernet
    Sauvignon 2015 / **96**
Susana Balbo Signature Malbec 2014 / **114**
Susana Balbo Signature White Blend 2016 / **119**

T

V

VER SACRUM
Geisha de Jade 2016 / **151**

VIÑA ALICIA
Viña Alicia Colección de Familia
   Nebbiolo 2011 / **59**
Viña Alicia San Alberto Morena 2010 / **60**
Viña Alicia San Alberto Tiara 2016 / **70**

VIÑA LOS CHOCOS
Los Chocos Estéreo Cabernet Franc 2014 / **126**
Los Chocos Parcela 79 2015 / **130**
Los Chocos Parcela 5 Pinot Noir2015 / **133**
Los Chocos Vertebrado Cabernet Franc 2015 / **95**

VISTALBA
Progenie II Extra Brut 2014 / **109**
Tomero Reserva Malbec 2015 / **98**
Tomero Reserva Petit Verdot 2015 / **104**
Vistalba Corte B 2015 / **84**

VIOLINISTA
Violinista Cabernet Franc 2014 / **178**
Violinista Torrontés – Sauvignon Blanc 2017 / **45**

W

WEINERT
Carrascal Tinto 2011 / **59**
Cavas de Weinert Gran Vino 2006 / **149**

X

XUMEK SOL HUARPE
Reserva Blend 2015 / **178**
Xumek Extra Brut / **179**
Xumek Single Vineyard Malbec 2015 / **177**
Xumek Single Vineyard Syrah 2015 / **178**
Xumek Single Vineyard Chardonnay 2016 / **179**

Z

ZORZAL WINES
Altar Uco Edad Media Blanco 2015 / **105**
Altar Uco Edad Media Tinto 2014 / **93**
Eggo Blanc de Cal Sauvignon Blanc 2016 / **106**
Eggo Bonaparte Bonarda 2016 / **99**
Eggo Franco Cabernet Franc 2016 / **134**
Eggo Tinto de Tiza 2015 / **130**
Zorzal Gran Terroir Cabernet Sauvignon 2015 / **132**
Zorzal Terroir de Uco Pinot Noir Rosé 2017 / **45**

ZUCCARDI VALLE DE UCO
Aluvional Gualtallary Malbec 2014 / **124**
Aluvional Paraje Altamira Malbec 2014 / **113**
Concreto Paraje Altamira Malbec 2015 / **114**
Emma Zuccardi Bonarda 2015 / **54**
Finca Piedra Infinita Paraje Altamira
   Malbec 2014 / **112**
José Zuccardi Malbec 2013 / **128**
Q Chardonnay 2015 / **106**
Q Tempranillo 2014 / **58**
Poligonos del Valle de Uco Paraje Altamira
   Malbec 2015 / **115**
Poligonos del Valle de Uco San Pablo
   Cabernet Franc 2016 / **90**
Poligonos del Valle de Uco San Pablo
   Malbec 2015 / **91**
Poligonos del Valle de Uco San Pablo
   Verdejo 2016 / **106**
Poligonos del Valle de Uco Tupungato
   Malbec 2015 / **102**

Agradecimientos

A **Lali Muñiz**, que por segundo año aportó orden y disciplina.
A **Javier Cantor**, por su trabajo de orden de flights y de vinos.
A **Maureen Niño Torres**, que estuvo en gran forma
en el servicio de todas las degustaciones.
A **Juan Ventura** porque es un placer trabajar con él,
a **Eugenio Mazzinghi** por las tremendas fotos que nos sacó,
a **Miguel Rep** por su generosidad para con su aporte,
a **Tomás Linch** que nos aconsejó y estuvo cerca nuestro,
y a **Mariano Valerio** y **Nacho Iraola** por confiar
en nuestro proyecto.